〈情弱〉の社会学

ポスト・ビッグデータ時代の生の技法

柴田邦臣

青土社

〈情弱〉の社会学　目次

〈情弱〉の社会学　ポスト・ビッグデータ時代の生の技法

第Ⅰ部　〈情弱〉・〈情強〉・現代社会

第1章 〈情弱〉とは誰か？
――「情報強迫性障害」とマイノリティとしての「情報弱者」

1 「あまりに大きい夕日」の日から

ある日、夕日があまりに大きいことに気がついた。その瞬間、頭がナナメ上の方から、ずしっと押されたように感じた。痛いということもなく、辛いということもない。だから、風邪や頭痛といった類とは異なることだけはわかった。ただ、頭が押されているように重い、という感覚だった。（…）ひたすら、もうすぐ耐えられなくなるのではないか、という不安、というより恐怖感だけが募る。「疲れた」以外に、頭に浮かぶ言葉がなくなってしまう。

明け方近くなると、（押されるような頭痛に）そのまま押されるようにして、なかば這々の体でベッドに潜り込む。横になるとあっというまに「重み」はとれる。そして、心臓の鼓動が音がするほど激しくなる。心臓というよりも「心」が痛くて、それが自分というハードウェアに投影される。何もしていない罪悪感に焦り、それだけで疲れてしまう。自分に生きる価値がないことだけが明らかになる。ただ、背中をベッドに押し付けて、静かに念じる。

心臓の鼓動を取る方法は4つ。そのまま寝てしまうこと。ゆっくり起きて手を洗うこと（お風呂に入ると疲れるのに、手だけ洗うとなぜか楽になる。取り憑かれたように洗ったこともあった）。次に、すでに読んだことがある本やマンガ（新しい本だと逆に疲れてしまう）を読むこと。最後に『星の金貨』のドラマの再放送を見ること。夕方までひたすら寝ていたりするのに、お昼の再放送の時だけは目が覚めた。頭痛からも胸痛からも解放される。（…）自分にとっての生きがいで、生きる目的だった。(1)

これは、半年に渡って「ひきこもり」状態にあった人が、そこから脱したときに書き留めていたメモを文章にしたものだ。結局、この人は幸運に恵まれて、いわゆる社会復帰をすることができたのだが、その年の夏頃から年末まで、一人暮らしの部屋から誰とも連絡をとらず、外出するのは「どうしても食べるものがなくなった深夜に、マスクをつけてこそこそと二〇〇メートル先のコンビニに行くだけ」という生活を続けていた。ひきこもりの程度はともかく、厚生労働省のひきこもりの定義に該当する状態であったことは間違いない。

「孤独死大量世代」または「8050問題」、といわれるほどまで、社会的な孤立は、現代日本における宿命的課題ともなっている。世間には、生きづらさを抱えた彼らを理解し、寄り添うべきだとの言説もあふれている。

(…)深刻な状態と聞けば、できるかぎり会って共感を得たいと思っています。こだわり、被害妄想、強迫観念、独り言、そんな中にいる子どもですら、自然な出会いの中で、その子のこれまでの「不幸と不運」をできる限り受け入れると、その日は不思議なくらいに「症状」はなくなってしまい、安定することがあります。一人で受けるストレスを、二人で受けとめただけのことです。共感は、引きこもりに限らず人間理解の第一歩なのです。(2)

「共感された」と思えることで、救われる人がいることに異論を挟む余地はない。ただし、すべての人がそうではないことは言うまでもなく、他人が、つまりひきこもりの支援者や心理の専門職が、はたして本当に共感できるのかについては、疑問符がつけられるだろう。もっとはっきり問いかけてもいい。本当に、「共感」することで、彼ら彼女らを救うことができるのだろうか。

(…)わかったふりというか、わかったような感じで近づいてくる方が辛いといえば辛い。というより、人のことをわかろうとしたり、人にわかってもらおうとしたり、空気を読んだりというのが、この息苦しさ、疲労感につながっているという自覚はあった。本当にはわかるはずもないしわかりあえるはずもないことを、なぜわかるといえるのか。(3)

この孤立感は、どこからくるのだろうか。石川は、「自分の思いや経験が自分にとっては全くそぐわないところで勝手に理解されてしまう」ことが、ひきこもり当事者を逆に追い詰める危険性を指摘している（石川 2019）。私の視角から見れば、ひきこもりは、自分と人との「わかり、わかられる」関係の齟齬にこそ、その源泉があると言える。そのような関係のすれ違いそのものに、共感力を持ち出すことは、確かに的外れだし、かえって危険でもあるのではないか。

もっとも、人それぞれであるひきこもりの原因を、勝手に推測することは、できるだけ避けたほうがいいだろう。だから今回の事例では、ひきこもりの寛解について考えてみたい。この事例は、重いひきこもり状態から脱し社会参加した例なのである。

結局、自分がもう一度外出できるようになったのは、偶然の賜物だし、運がよかっただけなのだろう。（…）ひとつだけあげるなら、自分の疲労感が薄れたということだろう。（…）考えたり入手したりしなければならない情報の中をプカプカ流されていた感覚、いわば、情報過多のような状態だったのだと思う。人の視線、家族との関係、学校の話、自分の将来など、やることや考えることが多すぎて、入って処理しなくちゃいけない情報が多すぎた。(4)

（…）だから、もう二度とひきこもりの状態になりたいとは思わないが、あの時期が自分にとって無意味だとは思わないし、必要な時期だったとも思う。別にそれを狙ったわけではないが、外界から隔離されて、情報が遮断されて、楽になったところはあったし、自分の内側が結構、整理された感じはした。（…）ひきこもっていた時間は言いがたい辛さがあったけれど、自分のための一歩を踏み出すためには必要だったとは思っている。[5]

私たちは、大前提として、コミュニケーションや情報は、密であればあるほど、多ければ多いほど、新しければ新しいほど良い、という価値観のもとで生きている。そして同時に（第Ⅱ部で触れるように）、有意味ないしは無意味な情報を、大量に生み出して生きてもいる。しかしそれでは、私たちは「情報の中をプカプカ流されて」いるような感覚を、果たして前提としてしまってよいのか。それを当然視する現代社会の方には、問題はないのだろうか。

2　「情報不安症」と「情報強迫性障害」

「ひきこもり」はもともと、アメリカ精神医学会による診断基準『DSM-III』における Social Withdrawal の訳語として日本に導入された一事象にすぎなかった。それが今は、"Hikikomori" という日本語が定着するほど、世界的に知られるまでになった（斎藤 2017）。現在の『DSM-5』では、

"Anxiety Disorders"（不安症群・不安障害群）の中に含めて考えられることが多い。リチャード・ワーマンが、"Information Anxiety"（情報不安症・情報不安障害）と名付けた症候群がある。

（…）毎日消化することが期待されているニュースの量が多くなるほど、私たちの認識能力は阻害される。誤った認識をするというだけではない。バラバラの出来事の報告を聞くための時間が長くなるほど、背後に隠された「なぜ、どうして」を理解したり、複数の出来事の関連やパターンを見出したり、現在を歴史の時間の中においてみるための時間が、ますます少なくなる。その代わり、表面的な事実の流れを子守歌のように聞くうちに、データの氾濫によって、鈍感で、受身で、認識不可能な状態になる。それを価値ある情報に変えうるための時間や資源を、私たちは持ちあわせていない。（Wurman 1998=1990）

この慧眼は、大量の情報のフローとストックに疲労困憊する私たちを、見事にあらわしている。問題は、「情報不安障害」が提起されたのが、今からちょうど三〇年前の（記念すべき）年であったということだ。

今の私たちの生活はどうだろうか。**グラフ1**のように一〇代のスマホ利用時間は、休日には一日五時間を数えるまでになった。(6) 私たちが常に、習慣的に、時には急き立てられるように画面をチェッ

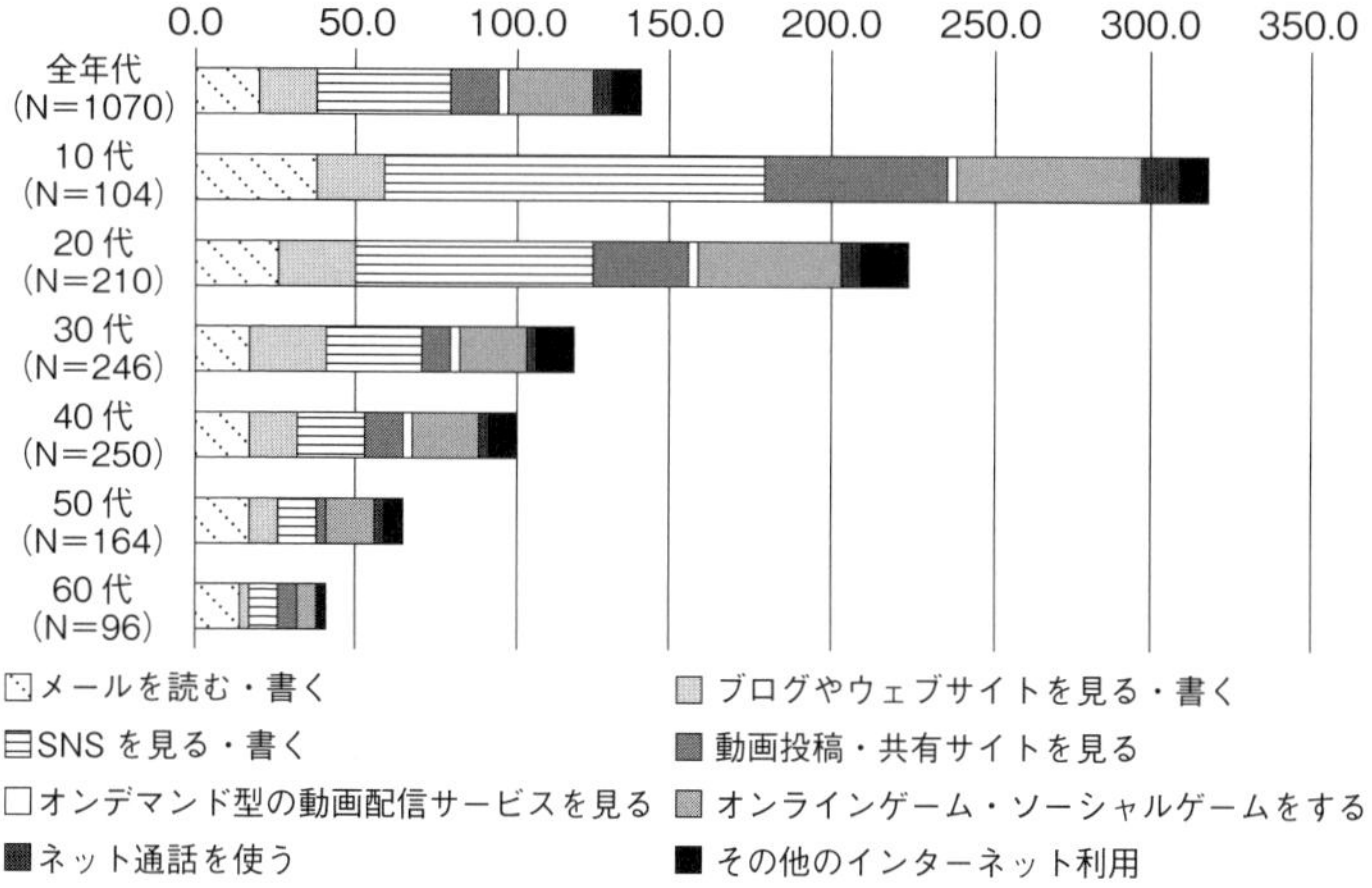

グラフ1　年代別・スマホのネット利用時間（単位：分）

（出典）2017年度「情報通信メディアの利用時間と情報行動に関する調査」

クするようになったのは、それほど昔からではないはずだ。二〇一七年のNew York Times Magazineは、巻頭特集として、「抵抗しがたい不安感」を抱えた大学生の急増を訴え、その主因をまさにスマホ・SNSに求めている（N.Y. Times 2017）。

「スマホが若者の健全な発達を阻害する」などという、聞き飽きた議論に与するつもりはない。むしろ柔軟で潜在力に満ちているが上に、情報の中を泳ぎ切ってしまえそうな若者より、そこであがいてしまうような世代や人のことを、しかも、本当はあがいているのだけれど、そのことを自覚できていなかったり、わかっていても止められなかったりして「泳いでいるつもりで漂流している」ような人のことを考えてほしい。

私たちは、「情報」というものに強い「こだわり」を持っている。そして、それに「こだわりすぎ」なのである。

『DSM-5』には、Obsessive Compulsive and Related Disorders（強迫症・強迫性障害）という診断項目がある。頭にこびりつく考え・イメージ・衝動などで不安や恐怖感をおぼえたり、それに突き動かされる強迫行為を伴ったりするものとされる。例えば、以下のような例があげられる。(7)

・善悪や道徳に対して過剰に気になる。
・何でもかんでも覚えておかなくてはならないと感じてしまう。
・物を捨てられずに過度にため込んでしまう。
・何か悪いことが起こるのではないかと心配し、何度も確認する。
・何度も頭に浮かぶ考えに悩まされている。
・「こだわるのをやめたい」と思っても、どうしてもこだわらずにいられない。
・その考えが正しいという確信はない。
・あくまでも自分の考えや行動であり、決して他者の支配によるものであるとは感じない。
・これからの考えや行動のために、生活、仕事または人間関係が障害されている。

これらの内容を、SNSやネットでの「情報」に置き換えると、先ほどの若者たちと重なって見えてきたりはしないだろうか。手の汚れが気になるという強迫観念に対して、手洗いを必要以上に何度も繰り返すといったようなその症状は、わずか一瞬でも隙あらばスマホを確認しなければならない私たち、新しい情報を求めてやまず、その激流にただ流される私たちに、重なって見えはしないだろうか。

この本は、「情弱」＝情報弱者について、おそらく日本ではじめて論じようという本だ。言うまでもなく、「情弱」というのは、とてもネガティブなワードだろう。「お前は「情弱」だ」と言われるということは、現代日本において、もっとも侮蔑的で讒謗《ざんぼう》的な表現のひとつかもしれない。

だからこそ本書は、その情報にかんする脅迫的な恐怖を問題にしたいと考えている。人を、「情弱」扱いすることが最大の侮蔑になるということは、裏を返せば、私たちすべてが、「情強」であるべきだと強く思って生きているということの裏返しなのではないか。

「情弱」＝情報弱者と「情強」＝情報強者についてはは次章以降で、順番に説明される。ここで確認しておきたいのは、「情弱」であったりそう呼ばれたりすることを、徹底的に嫌悪し強迫的に回避すべく、必死にスマホを叩きディスプレイを見つめ続ける、私たちについてである。もしそんな自分を、まったくまっさらな感覚をもった、別の世界線の自分が客観的に見ることができたら、そしてその別の世界線の自分が精神科医だったら、「この世界の自分は、「情報強迫性障害」を患っている」と診断するのではないか。「情弱」とラベリングされることを強迫的に嫌悪する私たちは、ワーマンの言う「情報不安症」が、三〇年経ってさらに進んだ、「情報強迫性障害」とでも呼ぶような存在になってしまっているのかもしれない。本書での「情強」は「情弱」の対義語であると同時に、「情報強迫性障害」の略語でもある。

「情弱」という用語があまりにネガティブすぎて、ないしは「情強」という言葉があまりにも陳腐すぎて、ひいてしまったり本書をおいてしまう人もでてくるかもしれない。本当は、その「情弱」という用語の酷さに動揺する自分に注目することで、情報社会の意味を解読することも本書の目的ではある。しかし結局のところは、本書は最終的にはいわゆる情報弱者の話をするので、そこまで「情弱」という言葉にうろたえなくてよい。私たちがなぜそのように感じ考えてしまうのかを取り上げる前に、そもそも私が、なぜ「情弱」側に立って論じようと思ったのか、その切り口について説明させてほしい。

3 「情報を求めること」と「限られた情報から考えること」

「情弱」と「情強」について考えてみようと思ったときに、最初に思い浮かんだのは、「情報」というものと私たちの思考力について、注目することができるエピソードだった。これは、ジョセフ・ヒースがその著書で取り上げている簡単なクイズを改編したものだが（Heath 2014 = 2014:33）、あまりに引っかかる人が多いので、よく授業の枕で使っている。せっかくなので最近のバージョンでお届けしよう（ちなみにオリジナル・バージョンに少し手を加えている）。

問題：
栄一は梅子を見ていて、梅子は柴三郎を見ている。
栄一は結婚している。柴三郎は結婚していない。
それでは、結婚している人は、結婚していない人を見ている、でしょうか？

答え
A：Yes
B：No
C：情報不足で決められない

先日の津田塾大学の授業でもこの問題を取り上げた。私のやり方は、まず、スクリーンにいきなり投影して一分程度で問題文を読ませ、五秒程度で手を挙げて答えさせるという、大学の授業にありがちなスタイルである。学生は「結婚問題」といわれて一気に関心がヒートアップし（これは性別を問わない若者の傾向だ）、論理パズルとわかって急速に落胆し、とりあえず感覚的に回答することになる。そのテンションの乱高下も目くらましになっているのか、何しろ引っかかる確率が高い。

もちろんその傾向はヒースのオリジナルと同じだ。大半の学生はCと回答、時々、Bと回答する学生がちらほらいるありさまである。そして、冷静になった頃合いを見計らって解説し、私たちが感覚的に考えてしまうことで、どれほど簡単な論理すらをも見抜けなくなってしまうことを体感させ、授業をきちんと聞くようにという教訓とするのが、私の授業のお約束になっている。

さて先日、たまたまある小規模の授業で同じ問題を出題してみた。案の定、テンションが上下した挙句、見事に引っかかった学生たちを前に、ふと、授業前にお手洗いに行くのを忘れていたことを思い出したので、「じゃあ、三分とりますので、私が席を離れている間に、正解を考えてみてください」と出題し、「小学生でも解ける問題ですよ」と言ってトイレに行った。一分ほどで教室に帰ってくると、すべての学生がキラキラと「なるほど、そうだったか」という顔をしてこっちを見ている。この気づきを待っていたのだと自己満足の極地にいた私が、「わかりましたね。では答え合わせをしましょう」というと、三分の二の学生が自信満々に〝B〟に手を挙げたのだ。

念のため解答しておくと、答えはAである。この問題は（婚姻関係の現代的多様性などを考慮しない一般論としては）、二番目のキャラクターが結婚しているか、していないかを問わない。二番目が結婚している場合は、2→3の視点が、「結婚している人がしていない人をみる」という出題を満たす。二番目が婚姻していない場合は、すかさず1→2の視点が出題を満たす。よってどちらでも答えはAという、きわめてシンプルな論理パズルである。ちょうど前の日に私は同じパズルを小学六年生に出したが、二分ほどであっけなく正答を出されていた。

おどろいて学生に聞くと、「ネットでググったら津田梅子が未婚だったので、未婚の人が未婚を見ているから」と回答した。彼女はBに回答している。そこでAに回答した少数の学生が、「だから既婚の栄一が梅子を見ているじゃん」と意見を述べて、その場のほぼ全員が、やっと「あっ」とこの論理パズルの意味に気がついたのである。正答のAと答えた学生も、多くはスマホで津田梅子の未婚を検索し、それを前提として答えていたのだ。

この単純な論理パズルは、第一感的な思い込みによって、私たちがどれほど簡単な問題を誤るかを示すものだと考えられてきた。しかし何より興味深いのは、現代を生きる若者たちにとって、この問題は、津田梅子の婚姻関係の「情報不足」として捉えられる点である。だから彼ら彼女らは、時間が与えられると、梅子の場合分けを考えるのではなく、ネットで情報不足を補ったのである。もちろん私はこの「梅子」を「津田梅子」だとは一言もいっていないにもかかわらず、そこで情報不足を補うことで「自分なりの正答」にたどりつき、自信満々に答えることになったのだ。

この構造は、現代社会の「情報」と私たちの関係の本質を、本当によくあらわしているように思う。私たちは現在、わからないと感じると、それを「情報の欠損」と考える。そのため検索してそれを埋めようとする。私たちは「情報弱者」ではいられない。だから、「情報がないまま考える」ということを、想像も我慢もできない時代を生きているのである。

4 「情報強者」とは、「情報弱者」とは誰か

私たちは、往々にして「わからない」ことだらけだ。そして前節の例は、「わからないこと」があった場合に、私たちにはたいてい、二つの道がひらかれていることを教えてくれる。

A) わからないことがあったときに、情報を求めて解決をはかる。

B) わからないことがあったときに、限られている情報から考えて解決をはかる。

道としてはどちらも正しい。それは当たり前のことだ。しかしここで私たちは自省してみるべきだ。スマホやパソコンを前にして、私たちは果たしてどちらの道を選びがちなのかを。それが、現在の情報行動のメインストリームになっていることを。本書執筆の二〇一九年の私たちは、わからないことがあった場合、まず、Google か Wikipedia で検索する。私たちの第一選択肢は情報検索であり、その検索は自分が正解だと感じることができるものに到達するまで続く。Google の検索結果を一〇ページも一五ページも見てしまって時間が過ぎ去っているように、情報検索には限界がないのだ。正解にたどり着くまで検索し続けるというのは、考えているようで何も考えていないこととあまり変わらない。その、「正解を求める無限の検索」こそが、「情報強迫性障害」の入り口となってしまっているかもしれない。

一方、もはやマイノリティと化しているのが、B）のパターンである。これは、そもそも限られた情報しか得られないという、「情報弱者」の立場のストラテジーだといえるだろう。そして、この例のように、限られた情報の中で立てられる論理や技法の方が、正解を導き出すこともある。さらにいえば、ここまでネットや検索エンジンが普及したり、情報化される現代社会が到来するまでは、私たちは皆、すでに得られている限られた情報を元に、論理を組み立て推理して、新しい考察をしていたのである。A）の方法は、推理小説を読むときに推理するのではなく、文中に出てきたヒントをひたすら検索窓に入力してエンターを押すことで、犯人を見つけようとしているのと同じだ。このクイズが示しているのは、〈情報強者〉だと思っていたりめざしたりしている人の足元には、きわめて重要な死角が広がっているという可能性である。

「情報弱者」であることから必死に逃走し「情報強者」をめざす人生は、逆説的に〈情弱〉と呼ばれてもしかたがなさそうだ。しかし本書が論じるべきなのは、問題がそこにとどまらないという点だ。本書を執筆中の二〇一九年六月、一人の著名人が、微笑みながら以下のように語った動画が、ネット社会を衝撃に包んだ。

少しだけ想像してみよう。一人の男のことを。その男は、何十億もの人々のすべての秘密、人生、そして未来がはいったデータを盗み、コントロールしている(8)……

使い古された妄想家の陰謀論とされずに話題を独占した理由は、それを流暢に語る男が、Facebook のCEO、マーク・ザッカーバーグにしか見えなかったからだ。ビッグデータが支配しつつある私たちの世界で、この男だけは、このような倫理観を抱いてはいけないために、私たちは衝撃を受けたのである。

いうまでもなく、この話は、「嘘」だ。ただし残念ながら、動画そのものは実在した。そしてザッカーバーグがこのような倫理観をもっていることも嘘とは断言できない。嘘だったのは、ザッカーバーグがこのように語ったということだけだ。その動画は、よくできた加工物……あまりによくできすぎていて、大半の人間にフェイクと見抜くことが不可能な動画だったのである。

二〇一七年ごろから、AIが登場人物の顔や表情までを加工し、人間の目では見抜くことができない「ディープフェイク」動画が注目されはじめた。最初はポルノ画像に実際の女優を重ね合せるなどの悪ふざけ（にしてはひどい名誉毀損だが）からはじまったが、現在は、実在の政治家やニュースを対象にするまでに浸食がすすんでいる。広がりを見せている理由は、それがAIを活用したパソコンやスマホのアプリで比較的容易に作成できるまでに、テクノロジーが進化したからである。少しの悪意と少しの技術という低コストな「ディープフェイク」に対して、それを見抜く技術や知識を磨く方は、はるかに膨大なコストが要求される。

水は、汚すより清く保つほうが、はるかに困難で、それは情報も同じだ。流入先や流出先が増えれば増えるほど、それをきれいなまま管理するコストは飛躍的に上昇するが、それは情報管理も同じだ。情報量が増大し、それを蓄積し活用することが前提となる社会、つまりビッグデータ社会は、本質的に、「汚れ」に弱いのである。

本書で言及するまでもない。すでに情報社会は、偽りに満ちている。オルト・ファクトが超大国の大統領を生み、マッチングサイトで出会うのは業者のバイトかボットばかりで、確証バイアスにまみれ偏狭なナショナリズムを高揚させたりする。[9] 唯一の期待を集めそうなブロックチェーンでさえも、成功例として取り上げられる仮想通貨の信頼性そのものは、コンソーシアムやレビューシステムなどのブロックチェーン以外のシステムが担っているのだ。[10]

本書では、「情弱」がネット・スラング化している現状を手がかりに、そこから解き放って、私たちが現在生きており、これからも生きていく社会について考えてみたいと思う。とはいえ、その舞台となる私たちの情報社会も、私たちの生きる様も、一くくりにしたり集約しては語ることができないほど多様であることも、よく承知している。そこで論点を、本書の目的、つまり、「人が生活することそのものを完全に収容するテクノロジーが一般化する情報社会において、私たちはどのような存在になるのか」に直接関係しそうなものに絞り込みたいと思う。例えば技術的な特性でいうと、まず注目するべきなのが、格納される情報の巨大化とそれを制御するシステムの進化という意味での、「ビッグデータ」というあり方になってくるだろう。一般的にビッグデータは、「ＩＣＴの進展により生成・収集・蓄積等が可能・容易になる多種多量のデータ」（情報通信審議会 2012: 3）などと理解されるだろうが、その定義に、「多量な情報」以上の本質的な意味は含まれていない。

しかしそれが私たちの生活全体を包み込み、ＡＩなど従来想定されてこなかったテクノロジーが活かされて運用されることで、これまで私たちが気づいてこなかった効果を、私たちの生活にもたらす可能性がある。現に、ビッグデータの時代において私たちは、常識的な努力と有限の時間によって、自分たちが知りたい真実や、成果を得られる判断に到達できる可能性を、急速に減らしているのかもしれない。

だから本書は最新の技術を解説する本でも賛美する本でもないし、拒否感を示すことも目的とはしていない。最新のテクノロジーだからといって常に論じることはしないし、驚くほど流行遅れですでにアップデート済みのテクノロジーであっても、それが、私たちが生きることの情報化の源泉であったり、同一の軌跡の上にあったりするのであれば、遠慮なく代表例として論じていくつもりだ。

同じように、「急速に進歩する技術は、私たちがうまく使いこなすのが重要」という、よくある「情報リテラシー」的な発想からも離れて議論したいと思う。情報強者になることができたとしても、むしろそれを気取っているからこそ、気づかないうちにはまる陥穽はあり、それを意識的に論じたいからだ。もちろん情報リテラシーが不可欠なのは変わらないのだが、それが先ほどのＡ）情報検索のようなものの巧みさであっては意味がない。大量の情報に包まれて生きる社会においては、もはやそのような手法を磨いても微々たる差になってしまうだろうし、良質な情報をすばやくたくさん得ることで、清明な判断力や創造力を生み出そうなどということも、幻想か勘違いとしかいえなくなる。情報インフラが徹底的に進化し改善し整備される過程で、私たちが論じるべき問題が生まれる。それは、「情報強者」をめざしその技を高めてきたものから先に、気づかないうちに新しい〈情報弱者〉となっていくプロセスといえるかもしれない。

だから本書の一番の目標は、「情報弱者」といわれる存在にある。情報インフラの整備が進む今でも、情報格差、デジタル・ディバイドに直面しつづけている人たちは、確かにいる。むしろそれが進歩するからこそ、〈情強〉の同調圧力に晒され、そのために設計されたデザインの中で生きることに苦しんだりするような、社会的に生み出される弱者もいる。本書はいわゆる障害者、高齢者というような、社会的弱者・マイノリティにかんする議論が多いが、そういった人たちがみんな情報弱者で、救出されたり解放されたりしなければならない、という話をするわけではない。確かにそういった面があって同意するところもあるが、生活そのものの情報化という、前代未聞の社会の到来においては、おそらく〈弱者〉の意味も変わってくるから、簡単にカテゴリー化したり階層化して論じていいものではないためだ。むしろその過程では、現在、社会的弱者であるとされている人たちの中にこそ、先ほどのB）の戦略のような、〈情報弱者〉と化す私たちを解放する手がかりがあるかもしれないのだ。

具体的な議論は、次章から進めていこう。いずれにしても本書は、現在、「情報弱者」であったり、これから〈情報弱者〉になったりする人たちのために書かれている。直接的に言及されていなくても、それに気づき、そこから学び、その問題構造を克服する道筋を探ることが、本書の最終的な目標である。

第2章

社会的マイノリティとデジタル・ディバイド

――ポスト・ビッグデータ時代の実像

1　デジタル・ディバイドとしての〈情弱〉

誰しも「人に言えない場所」というものがいくつかあるものだろう。お気に入りであったり、他の人に知られるのがはばかられたりするところがあるというのは、人生の振幅の豊かさを示しているように思えてならない。秘密というのは、その人の深さをあらわしているともいえるのだ。ということで私は、誰かと知り合ったときに、陰に陽に「そう簡単には教えられないお気に入りの場所」を聞き出す努力をすることにしていて、それが交換できた相手を、「友達になった」と思うようにしている。

そしていつも思うのは、どうしてたいていの人の「秘密のお気に入りの場所」は、静謐で心安らかで、しかも多くは電波もネットも入らないのだろう、ということだ。流行りの「デジタル・デトックス」をやっているという人には、よく理解していただけるだろう。やはり情報そのものには、排出されなければならない毒という側面があるのかもしれない。

などということを考えながら、今もお気に入りの山の中を歩いている。東京都最高峰の雲取山からのさびれた巻道も、私の「人に言いたくないお気に入りの場所」のひとつだ。都下では残念ながら電波が届かない場所の方が少ないので、スマホは電源が切ってあるにすぎないけれど、それなりに「デジタル・デトックス」を地でいく行程は、少なくとも下山するまでは、一片の情報の介入も許さない、自分だけの固有結界を与えてくれる。

安心しきった刹那、突然、けたたましいバイブレーションが鳴った。驚いて見渡しても誰もいない。鳴っているのは自分のザックだった。二〇一一年の震災のさい、非常連絡用にＮＴＴドコモの携帯電話を追加で使用していた。緊急時のつながりやすさも考慮し、いつも使っているスマホと二台持ちをしていた。前の週の被災地支援で持参した後でザックに入れっぱなしにしたまま、すっかり失念してしまっていたのである。

慌てて出た電話の内容は、「あなたのクレジットカードについて、通常の利用パターンとは異なる利用が検知され、不正利用が疑われると診断がついたので、急ぎ確認したい」との、カード会社からの問い合わせだった。「現在、どちらにいますか?」「奥多摩を下山中です。」「え?　日本の山の中?」「不正利用はどちらでされたんですか?」「オーストラリアでのネットショッピングです。」

奥多摩の山中でさえ、私たちはグローバルなネットワークとダイレクトにつながっている。この現代社会では、私たちは常に情報に包囲されている。重要なのは、それが私たちの意思や能力にかかわらない、という点だ。先の例でいえば、見事にネットショッピングにおける不正利用を防いだつもりでいるが、これは私が「情報強者」だからだろうか。私はそもそも、デジタル・デトックスのつもりで山の中にいたのだ。

同じ赤いケータイは、私に、自分がもっとも「情報弱者」であった、あの瞬間を痛烈に思い出させる。あの時ほど「自らの弱さ」を危機的に感じたことはなかった。二〇一一年三月一六日の一一時〇三分、私は宮城県亘理郡山元町役場の駐車場にいた。〝宮城の湘南〟とも言われる海沿いの、のどかな街並みは一変し、すでに数日経っていても、町役場の駐車場はパニック状態のままだった。私たち三人は二時間ほど前に、ボランティアさんに出してもらったオフロード車を「活動車」として、水・食料・灯油・ガソリンなどを積めるだけ積んで、日本海側から一泊二日で到着したところだった。町役場はひどく被害を受けており、隣接した公民館には一〇〇〇人を超える被災された方が避難されていて、災害対策本部はいまだに屋外の駐車場に設置された運動会のような仮設テントだった。山元町の友人と車を降りた私は、持参した物資の申告をした後で、災害対策本部のテントでの状況説明に立ち会っていた。電気も水道もいまだ復旧していない。何もかもが信じられないほど現実味がない、非日常的な朝の感覚を、今でも時々、思い出すことがある。

初めて会う人どうしが激論を交わし会うような、初めて経験する会議が終わって、ふと見渡すと、自分が乗ってきた「活動車」が駐車したはずのところになかった。ケータイのキャリアは臨時の中継車を配備しているはずで、役場近郊はつながるという情報を仕入れていたので、念のため当時日本でサービスしていた四キャリアをすべて揃えてきたのだが、当時は、私の手元にある赤いドコモ以外はなかなか繋がらなかった。私たちの行動をトレースし最新情報を提供してくれている東京の仲間に電話をしようとして、先ほどまで確かに電波を拾っていたはずの赤いケータイ——私にとって東京との唯一の連絡手段——が、圏外になっていることに気がついた(1)。

それまで東京を出てから、ほぼ二時間おきに東京の仲間が調べてくれる震災の情報を知り、まわりの方々に提供してもいた。というのも、被災地の状況は被災地の方がわからないという現実があったからだ。電気も電波もないここでは、情報網は警察・消防・行政がもつものを除くと、限られたラジオ（まだ災害臨時コミュニティFMははじまっていなかった）とうわさ話しかなかった。つまり、絶対的に情報が断絶した五里霧中のような状態でもあったのだ（柴田 2012b）。

そんな中で、「車」も「連絡手段」も失った私は、被災地では何の役にも立てない「弱者」だった。自それこそこのまま両方を失ったら、私もここで、避難所に避難しなければ生きていけなくなる。自分を社会と接続するメディアが失われることの孤独さの深淵は、それを少し覗き見ただけで、背筋が凍る音が聞こえるほどだった。恐ろしすぎて仰ぎみた空からはまた、凍えるような雪が降っていた。

私たちは「情報強者」は情報リテラシーなどの能力が高い人で、「情報弱者」はその能力が低い人だと思いがちだ。しかしよく考えてみると、「強者／弱者」を、情報をうまく活用できているか、できていないかという観点でのみ考えてしまうと、もっとも重要な前提を見失ってしまっていることに気がつく。利用者や使用メディアがまったく同じであっても、自らではコントロールしがたい環境や状況によってその「強／弱」は転倒しうる。つまり、情報を活用できるかどうかは、第一に、テクノロジーや環境のありように大きく規定されているのだ。私たちは大半の情報を、スマホやパソコンといった情報端末や各種のメディアによって収集し処理している。自分が「情報強者」か「情報弱者」かは、その人の情報処理能力のみによって決まるのではない。その点が、他の能力と大きく異なる。学力や運動能力といった能力と比べて、情報にかんする強者／弱者は、個人の努力や資質にかんするよりも、情報ディバイスなどのテクノロジーや、そのメディアがどのように活用されうるかという社会的条件の方が大きいのだ。

私たちが〈情弱〉という表現にうろたえる理由はおそらく二つある。現代を生きる多くの人が情報強迫性障害とでも呼ぶべき、過度の「情報」至上主義にあるというひとつめの理由は前章で述べた。もう一つは、「弱者」という論点にある。つまりそれが、誰でも得られる情報を入手できないという、個人の能力や資質に対する明確な否定になっていると、私たちが考えているからだ。もちろん、ある情報を正確に把握したり、情報の背後に隠された意図を見抜けないといった判断力などを揶揄したりしている面は少なくないだろう。しかしそういった力そのものが養われたり発揮されたりするためにも、ディバイスやメディアを使ったり学んだりできる環境や条件が揃っていることが大前提になることは疑いもない。本質的には、情報にかんする「強者／弱者」については、個人の生まれながらの資質や、何らかの努力の結果だけではなく、社会環境の方がむしろ重要なほどだと、いうこともできるのだ。

情報にかんする社会環境の差という概念であれば、もっと適切な表現がある。それは「情報格差」＝「デジタル・ディバイド」である。〈情弱〉論といわれてもピンとこないという人でも、本書が結局、デジタル・ディバイドの議論であるといえば、わかってもらえるかもしれない。情報弱者／強者にかんする議論は、情報にかんする社会的な格差の問題として、まず考えられるべきなのだ。

モスバーガーらはデジタル・ディバイドを、基礎的な面と経済や政治などの応用的面のいくつかに再整理して定義しているが、特筆すべきは、基礎的な定義として二層に注目している点である（Mossberger et. al. 2003: 8-9）。そのなかで筆頭としてあげられているのが情報にアクセス可能かどうか（The access divide）である。次に情報を活用するスキルがあるかどうか（The skills divide）が挙げられているが、それも二つのポイントに分けて整理されている。The skills divide のポイントの一つは、いわゆる情報にかんするリテラシーだが、そしてふたつめとして、そのための社会的な支援が必要だと整理されている。このように、デジタル・ディバイド論は、情報にかんする能力が、個人に属するばかりではなく、社会的に決まってくるということを説明している。

2　社会的マイノリティとしての〈情報弱者〉

デジタル・ディバイド論として整理してみると、〈情弱〉という単語にいだいた嫌悪感にわだかまることなく、見とおさなければならない論点があることに気がつくだろう。考えてみれば、実際に「情弱」の例として挙げられることが多い高齢者であっても、もし本当に情報弱者であるとしたらその原因は、本人に帰するのではなく、明確に環境に帰責されるはずであろう。

だから〈情弱〉論は、本当は社会環境の問題のはずなのに、それがすべて個人の属性として扱われているという意味での、「社会的弱者」の問題なのだ。これこそが私たちが〈情弱〉というタームにいだく嫌悪感の源泉である。そして私たちは、社会学は、まったく同じ構造を知っている。

デジタル・ディバイド論で注目される「情報弱者」の典型例には、高齢者の他に、階層差〔学歴、収入差〕、そして、障害の有無などがある。障害者が情報弱者だというと、心身に障害があることで、スマホのフリック入力やパソコンのキーボード入力が使えなかったり、パソコンの画面が見えなかったりして、情報ディバイスを使うことができないということを想像するかもしれない。しかし、このような障害があるから情報アクセスが不可能と考えるのは、誤解に等しい。

障害のある大部分の人にとっては、スマホやパソコンのようなデジタル端末がある方が、実はずっと情報格差を乗り越える可能性が広がっていることを、すでに見聞きしている人も少なくないだろう。そもそもデジタルの情報ディバイスは、従来型のアナログ・メディアと比べて、情報の入出力の自由度が高い。新聞やテレビといった従来型のメディアと、インターネットを比べてみるとわかりやすい。視覚に障害がある人の多くは新聞を見ることができないし、肢体が不自由な人の中には、雑誌のページを持ち上げてめくれない人がいる。ところが、新聞がデジタルデータになっていれば音声で読み上げることで視覚に障害があっても記事を読めるようになるし、肢体不自由の人もパソコンを動かす特別なマウスやキーボードなどを使えば、インターネットに接続してオンラインの雑誌記事を読むことができる（柴田ほか2004など）。あらゆる情報がデジタルになりネット上で検索可能になる情報化社会は、実は障害者にとって都合がいいともいうことができるのだ。

とはいえ、ここで要諦を看過してはならない。障害者が情報社会においてデジタル・メディアを使いこなすことができるかどうかは、そのようなアクセス環境がどれほど整っているかに左右される。音声でウェブサイトを読み上げるためにはスクリーンリーダーやソフトを使うことになるが、新聞社のウェブサイトがW３Cの勧告する世界標準に対応していなければ、(2) 意味不明の読み上げになってしまう。ろうや難聴であっても動画サイトを楽しむことはできるが、最低でも自動字幕機能は必要だし、できれば動画製作者が音声情報をテキストにしたものを字幕情報として同時にアップしてくれていた方がいい。つまり、そこで求められるのは個人の能力や属性ではなく、テクノロジーや社会的環境が障害のある人に対応できているかどうかという、「情報アクセシビリティ」という観点である（柴田ほか2016）。

視覚に障害がある人は、目が見えないから「情報弱者」になるのではない。耳が聞こえないからトばかりだから、動画に手話通訳や字幕をつけていないから、「情報弱者」になるのだ。つまり、目が見える、耳が聞こえる、手足が動くといった個人の能力ではなく、まさに社会環境の方が、「情報弱者」を生んでいるのである。

そもそもこのような情報アクセシビリティの考え方は、障害について考える障害学や、社会学との相性が良い。それらの学は、障害のあるひとが「できない」理由を、その人の身体条件――目が見えない・耳が聞こえない・体が動かないなど――には求めない。車イスの人が二階に上がれないのは、その人が車椅子だからではなく、そこにエレベーターやスロープが付いていないからである。耳が聞こえなかったり聞こえにくかったりする人が、普通学校で勉強できない理由は、手話通訳やノートテイクといった情報保障が欠けているからである。もし、ability＝能力とdisability＝障害の関係において、「何かができないこと」を論じるなら、それは個人の身体条件によって決まるのではなく、必要な技術が提供されていなかったり、環境側の配慮が不足していたりといった、社会的な問題として構成されるのである。

このような「障害の社会的構成」は、障害者がなぜ「社会的弱者」なのかを理論的に明確に説明した。実はこのような論点は、難病者はもちろん、高齢者、女性、エスニシティなど社会的マイノリティが、なにかしらの不利に直面する場合に、同様に問題になることが多い。「情報弱者」の議論は、社会的なマイノリティ論のひとつ、しかも典型的な代表例ということができる。

3　ポスト・ビッグデータ時代の〈生きることの情報化〉と情報弱者の戦略

私たちが〈情弱〉を、単なる〝ディスり用語〟として簡単に片付けてしまってはならない理由が、はっきりしてきただろうか。少なくとも〈情報弱者〉の問題は、社会的に構築される明確な社会問題なのだ。

だからこそ、第1章で区別された「情報強者」と「情報弱者」との戦略の差も、はっきり会得することができる。「情報強者」をめざす場合、自分にとってわからないことやできないことを、未知や情報不足によるものと考え、その検索力と収集力に依存することになるだろう。しかしそのためには、自分に情報を活用するテクニックが有効にそなわっていて、現在の情報環境がその力を発揮しうるほど妥当であるという前提が必要になる。つまり〈情報強者〉を尊ぶ観点には、情報社会そのもののありようを社会問題として問い直す視角はない。だからこそ、情報強迫性障害のように追い詰められたりもするのである。

一方、〈情報弱者〉とみなされたり、その自覚があったりすれば、情報社会に対する戦略はだいぶ異なる。社会的マイノリティという立場をさとる情報弱者は、そこに社会的に構築されている問題があることに気がつくことができる。その問題構造を自覚しながら、それを回避したり克服したりして、自分がアクセス可能であったり活用可能であったりする限られた情報から、思考力を駆使して正解を導き出そうとするだろう。そこに〈情弱〉ならではの戦略が生まれるのだ。まわりの「正解」に左右されず、自分の力で論理的に考え、真実に到達しようとする力が生まれ育まれるのである。

本書の問題意識は、この二つの戦略の差を問うことにある。さらにいえば、実は、これまで蔑視されたり重視されてこなかった〈情報弱者〉に、もっと明確に注目する必要が、私たちにはあるのではないかという提案をするところにある。私たちは情報があればあるほど、情報化が進めば進むほど、いくつかの弊害があっても趨勢として自分たちの生活は便利で、快適で、価値あるものになると考えてきた。情報化の弊害とされるものは、情報漏洩であったり悪意のある不正利用であったりウィルスなどで、セキュリティ技術が向上したり、法的整備が進んだり、情報倫理をもっと身につければ、管理可能だと信じてきた。しかしそれであればなぜ私たちは「情報強迫性障害」という傾向を必然的に抱えることになるのだろうか。

だからといって社会の情報化が私たちの人間性を失わせたり、感情のないロボットにしたりするという話をしたいわけでもない。前時代や自然に還れなどという話も出てはこない。〈情報弱者〉と周りから見られていたり自覚していたりする人も、情報化の恩恵を大いに受けていることは前節で十分述べた。重要なのは、そのような〈情報弱者〉とされる私たちの方が、ないしはそのような視点を担保したり内包したりしている方が、現在、進んでいる情報化――〈生きることの情報化〉――という、ある意味での「情報化の最終局面」の問題性を、明確に示してくれるということだ。〈情報弱者〉の視点や戦略が、今、求められている理由は、私たちのテクノロジーによる情報化が、私たちの生身の〝皮膚〟全域に接しはじめているからである。これまで私たちは、自らの外部から集約され蓄積された情報を活用する主体だと、自分たちを想定してきた。だから「情報をいかに上手に活用すればいいか」という〈情報強者〉をめざす観点で、すべての物事を考えればよかった。しかし、情報化の領域の中には、それを根本から問いたださなければならないものがある。それが、私たちが〈生きる〉という場面に接しているところにある。次章から議論するのは、まさにその領域だ。

私たちの情報化を、自らが中心となった同心円上の、遠いところから進展してきたものとイメージしてみよう。それは自然環境、宇宙といった観測結果をデータにすることからはじまり、次に経済・社会などの社会にかんする情報、そして自らの身体やその内部へと浸透するという、ひとつの方向性を示す情報化のベクトルとして、描くことができるだろう。

そして水のように浸食していく情報化のベクトルに、ひとつの汀線《ていせん》のような境界があることも理解できる。それは、私たちにとっての「外界／内部」という汀線だ。自分という存在の外側に存在しているもの……どれほど身近であっても、天気などの自然現象や貨幣などの社会現象がビッグデータとして蓄えられることと、自分の身体や生活といった、存在そのものがビッグデータに格納されることとは、意味が異なってくるはずだ。おそらくこのような社会は、ただの「ビッグデータ社会」と呼ばない方がよい。本書の担当領域は、この汀線から内側に浸透し、それが標準的となる社会について、現在進行形のビッグデータ化が行き着く先、まさに、「ポスト・ビッグデータ」とでも呼ぶべき時代の社会のかたちである。(3) 本書では、ビッグデータ化が行き着いて、私たちの主体の内にまで到りそれをデータにし尽くしつつある時代に生まれる情報社会、つまり生活世界の情報化が完了する社会のことを、「ポスト・ビッグデータ社会」とよぶことにしたい。それは、私たちの生存する現実をデータとして格納しつくそうという、〈生きることの情報化〉の最終局面だと、いってよいだろう。

重要なのは、そのような〈生きることの情報化〉という領域に焦点をあてた場合に、それをどう解読すればいいかだ。第3章からの第Ⅱ部にかけて論じるのは、結局のところ、そのような情報社会において私たちは、陰に陽に常に、生きることを試されることになるという事実である。その読解の手掛かりとなるのが、デジタル・ディバイド論から導入され、前章と本章において検討してきた〈情報弱者〉という考え方と、その存在である。

考えてみると、第1章から本章にかけての第Ⅰ部で繰り返し言及してきた「生きづらさ」は、社会的に構成される「弱者」が生活しようとするさいに感じる痛みを、直面する困難そのものを表していた。そのような「生きづらさ」をもたらしているものは、素朴な同調や安易な共感であったことは否めない。第1章で触れた、オルト・ファクトどうしが軋み合うポスト・トゥルースともいわれる情報化する空間においては、同調でき共感できる人のみの〝真実〟が「塊」をつくる。共感するために、他者をもっと知る努力=情報検索をしても、確証バイアスが軋む空間では、それぞれの〝真実〟の違いや価値観の差異が際だつばかりだ。だから私たちは、「知らないもの」を受け入れたり我慢したりすることができなくなっている。「理解できない」まま、「尊重する」ことができないのだ。

似た境遇や環境を共有するマジョリティの「共感の塊」の大きさに比べて、それぞれ固有の事情を抱えることが多い社会的マイノリティの「塊」は小さい。大きな「塊」からの理解はほとんど得られず、価値観の差ばかりが掻き立てられかねない。ビッグデータ社会における同調や共感の空気は、このように情報空間における社会的〈弱者〉を、新たなる〈情報弱者〉を生みつづけることになるだろう。第3章から第5章までの第Ⅱ部は、ビッグデータがそのポスト性――〈生きることの情報化〉を深めていく過程で、どのように〈生〉を取り込んでいくかについて、ひとつひとつ整理していくことになる。

ただし、ポスト・ビッグデータ社会における〈情報弱者〉の議論は、そのような喚起にとどまらないことに注意してほしい。確かに、〈生きることの情報化〉の過程においては、前章で述べた「情報強者」の妄信からおちいった陥穽のように、〈生きるもの〉としての私たちすべてが生きづらさに直面する〈情報弱者〉となっていくことは、否定できないかもしれない。第6章からはじまる第Ⅲ部は、情報化による生きることの試練に、先に直面していた人々にかんする話である。〈情報弱者〉には先輩がいるのだ。これまでのデジタル・ディバイドや社会問題の深刻さを考えると、マジョリティである人々は全く免責されないけれど、彼ら彼女らの存在とともに、その生きる技（わざ）、技法をリスペクトし、教えをいただいて、私たちが「学ぶ」時代が近づいていることも、肯定されるべきなのではないかと思う。

安積純子らは、障害がある人々が限られた環境の中で積層的にも技を重ね、日常生活を巧みに生きていく様子を、「生の技法」として描きだしている（安積ほか 2012）。その意味で本書は、情報社会が極まっていく中で生きていくための〈生の技法〉を論じるものといえるだろう。そのためにはまず、〈生きることの情報化〉を深めるポスト・ビッグデータ社会を描写し、そこで起こっている、ないしは起こりうる問題を精確に思考していく必要がある。だからこそ、安直な感覚論にほだされず、冷静に思考し、〈弱者〉とされてきた先輩方の薫陶を受けたいと思う。

〈生きることの情報化〉という領域に焦点を当てた場合に、それをどう解読すればいいのか。その問題性を把握するために必要な視角と戦略を、〈情報弱者〉が与えてくれる。次章からは、その具体的な分析に入ろう。

第Ⅱ部　ポスト・ビッグデータ時代の技術・福祉・社会

第3章 なぜ、〈ビッグデータ〉は〈やさしい〉のか
――ライフログ・特定健診・介護予防・〈自粛される生〉

1 〝やさしい〟情報社会のために

「使いやすく」「わかりやすく」「安価または無料で」。私たちの生活は、そのようなもので彩られている。そのような情報社会を、一言であらわすとすると、「やさしさ」だ。ビッグデータが最大限に有効活用された世界は徹頭徹尾、私たちにやさしい。例えば、ビッグデータ時代のthe King of KingsであるGoogleがそうだ。使い方はわかりやすく、私たちが知りたいことを瞬時に検索して教えてくれる。目的地はGoogle MapやStreet Viewが丁寧に教えてくれる。各利用者に必要な情報を選び出し教えてくれる点で、Googleは徹底的に利用者に寄り添っている。つまり私たちにとっての「ビッグデータ社会」の意味は、「やさしさ」で説明することができるのではないか。

この章からは、私たちにとっての〈生きることとの情報化〉が、どのような社会的な意味をもっているのかについて考えていきたい。すでに第1章では、大量の情報が私たちを包み込むビッグデータ社会に分析対象を絞り込んでいくことを説明した。その帰結として、情報化が私たちの内部にまで到達し、〈生きること〉そのものをデータ化していくポスト・ビッグデータ時代が訪れることは、第2章で論じた。本章から第5章までの第Ⅱ部は、現在のビッグデータというテクノロジーが普及する時代が、どんどん私たちの生活のありようや、存在そのものに浸透し、それを格納していくポスト・ビッグデータ社会へとかたちを変えていく、その過程を対象とすることになる。

その分析のために、第Ⅱ部を構成する三つの章は、共通の記述構造を備えている。ひとつめの特徴が、ポスト・ビッグデータ社会への変容を論じるターゲットの設定である。おそらく〈生きることとの情報化〉はポスト・ビッグデータ社会に遍在し、いくつものテクノロジーと主体の中に宿ることになるだろう。重要なのはそれらの共通項を論じることであり、そのためには主体や社会すべてを論じるのではなく、「典型例」に絞り込んで考察した方がよい。

そこでそれぞれの章は、「典型例」を絞り込んで素材とし、二種類を提供するかたちで構成されている。まず、ビッグデータの技術面を論じるための典型例が、代表的なサービスの中から用意される。第5章での人工知能（AI）や第4章のマイナンバー制度、本章ではGoogleなどのプラットフォーマーが該当する。次のターゲットは、私たちの生活、生きているありようを論じるためのものである。それは具体的には、たいてい福祉や保健の社会制度のかたちをとる。介護保険制度、社会信用システム、そして本章で述べる特定健康診断などがその例になるだろう。それぞれの順番は、本書で言及するべきポスト・ビッグデータ社会全体に、かたちを変えつつ通時的に貢献しうるものを、比較的古くからあるものから論じていきたいと思っている。

素材が定まったら、次は考察の技法を決めなければならない。〈生きることの情報化〉を論じるさいに、もっとも信頼できる準拠枠は、生きさせる権力＝「生‐権力」の理論であろう。フーコーは権力装置を「法」「規律」「安全」の三者のあいだの相関システムとして描き出した（Foucault 2004a=2007: 11）。彼が示した「主権・規律・統治的管理という三角形」（Foucault 2004a=2007: 132）のうち、特に「規律装置」と「安全装置」の分析に、多くの労力が割かれている。その過程は、私たちを生かすことで統治する「生‐権力」の分析として広く知られている。私たちを殺す恐怖で治めるのではなく、規律正しく育て、ないしは安全な管理のもとで生かし続けるような「生‐権力」は、これまで考えられてきた統治とは大きく異なった権力観を私たちに求めている。ビッグデータ社会が私たちの〈生〉そのものに到達するありさまを考えるさいに、これ以上、参照になりそうな理論はなさそうだ。

典型例と考察の準拠枠をもとに、その意味や結論を論じていく作業は、ありていにいえば、一種の思考実験——少し現実社会よりではあるが——をする試みとなるだろう（岡本 2013）。思考実験というと、「ゼノンのパラドックス」や「中国人の箱」など、数学的だったり哲学的だったりして高邁で難解なものを想像するかもしれない。しかし思考実験とはそもそも、「単純化された条件をもとに、頭の中で論理的に考えること」でしかない。「ビッグデータ社会」はもちろん、そもそも社会は複雑で、すべての前提条件を想定して考えることはできないだろう。だからこそ、第1章と第2章で議論した安易な情報検索に依存せず、「論理的に考える」という力が、ビッグデータ社会を想定して論じる際に必要になる。むしろ思考実験は、情報が限られている〈情弱〉向きであるともいえるのだ。

それでは結局、私たちにとって「ビッグデータ社会を生きる」とは、どのような意味をもつのだろうか。本章からは、三つの論点に絞り込んで、その社会的意味を論理的に考えてみたい。第一段階の本章が想定するのは、私たちにとって一番身近な、それぞれの個人としての「生」についてである。私たちの日常生活は、テクノロジーなしでは成立しえない。ビッグデータのプラットフォームとしてのＧＡＦＡ――Google、Apple、Facebook、そしてAmazonに注目する理由も、それが私たちの生活に不可欠な基盤そのものであるからだ。

それは、単に日常生活を便利にしているというレベルには止まらない。例えば現在はＥＵ、さらには日本でも規制の対象となりつつあるGoogleにしても[1]Apple、Facebook、さらにはAmazonでさえ、それは元々は「既存の大企業」へのカウンターとして生まれ、喧伝され、大企業や権力の〝魔の手〟からも守ってくれるものとして生まれた（Jarvis 2009）。硬直化し中間マージンを抜きまくっていた流通システムを破壊し、私たちが興味のあるものを厳選して広告してくれ、ＯＳやOfficeソフトは無料にしてくれる。さらに私たちの「知る権利」や、「表現の自由」の得がたい守護者でもある。

YouTubeはマイノリティにとって貴重な発信の場であり、時には隠された国家機密を暴く舞台にもなる。巨大な市場をもつ独裁国家の情報統制に、抵抗さえする。「世界中の情報を収集、整理する」と豪語するGoogleは、本章にとっては、「やさしい」仕掛けを象徴している情報社会の好例である。

第3章でいわゆるプラットフォーマー……GAFAに注目する理由は、それがなによりも私たちの生きる「情報社会」において、もっとも基礎的なインフラストラクチャーだからである[2]。この世界においてGAFAがもっとも存在感のある存在になっている理由は、それぞれが、私たちが生きるビッグデータ社会の「基礎条件」そのものを体現しているからだ。

そして、そのGAFAが、どれほど、そしてどのようにやさしいかを見てみると、その「やさしさ」が、生きる私たち一人一人の個人・主体それぞれに、直接、働きかけていくものであることも理解できるだろう。つまり情報化は、生きる私たち一人一人に働きかける「やさしさ」だと言える。本章は、その個人に働きかける「やさしさ」を切り口に、〈生の情報化〉の意味を描き出す、思考実験なのである。

2　〈ビッグデータ〉のやさしさ（1）――ライフログ

GAFAは一般に、情報社会の基本インフラであり、現代社会に君臨する大企業として取り上げられる。だから〈情報弱者〉の観点からGAFAを考えるというと、それらが私たちを包囲して管理する、『1984』のような世界をイメージしてしまうかもしれない。この思考実験では〈GAFA〉を権力装置として扱うことになる。とはいえ、Facebookの監視が世界を覆うとか、iPhoneがまさにテレスクリーンを実現した、などというつもりはない。ただ、なぜ〈GAFA〉は、私たちにここまで「やさしい」のか、なぜこれほどまで私たちに「寄り添った」サービスを「無料で」、「私たちのためのに」提供してくれるのかを読み解きたい。

好例として、Amazonの「リコメンデーション」に注目してみよう。Amazonがほかの通販サイトとは異なる革新性は、気になる商品をチェックした際に、「この商品を見た人は、こんな商品もチェックしています」と、別の候補も勧めてくれる点にある。ユーザーが多くの情報の中から自分の興味あるものを見つけたい時に、検索だけではなく、受動的に受け取れる選択肢を提示するという「やさしさ」こそが、リコメンデーションの真髄である（Amazon 2019）。

このような機能は、Amazonにかかわらず、Googleの検索候補や広告候補、さらにはFacebookの知り合い候補やおすすめページなどと仕組みは同じと考えてよい。リコメンデーションを実現するためには、私たちの好み、選好を知り、それに合わせて推薦するというテクノロジーを用意しなければならない。そのステップは意外と複雑だ。まず、利用者個人の行動志向を定量的にトレースしなければならない。良質な個人情報をどのくらい集めることができるかは、なかなかの難題であり、一般に「ライフログ」として知られるものである。

「ライフログ」の定義そのものも厳密に定まっているわけではないが、「蓄積された個人の生活の履歴をいい、購買・貸出履歴、視聴履歴、位置情報等々が含まれる」（総務省 2013: 259）という理解が順当だろう。生活の履歴という意味でいえば、その利用者個人にかんするあらゆる情報――そのときの身体にかんする情報や、自分の行動にかんする履歴――すべてが含まれうる。主体の生活情報の集積であるライフログがビッグデータを生み出すと考えれば、私たちの身体や生活全体を包み込む、膨大な情報の巨塊――ビッグデータ――を、たやすく想像できる。

おそらくこの「ライフログ」を糸口にすれば、ポスト・ビッグデータ社会という今まさに現前しつつあるのに実態を抽出したり把握したりすることが困難なものを、解読することができる嚆矢になりえるのではないか。ドゥルーズがフーコーを鮮やかに読み解いて以降（Deleuze 1990=1992）、社会が「規律社会」から「管理社会」に変貌し、私たちが絡めとられていることは自明となった。その底流に「生-権力」があることは疑いもない。膾炙した「近代的な規律装置から現代的な安全装置への変容」というベクトルが、ポスト・ビッグデータ社会では何らかのズレ、〝転調〟を起こしつつある。その萌芽を、ライフログによるビッグデータというシステムに発見することができるからである。

ただしここでは結論を急がずに、ライフログによるリコメンデーションという技術的特徴に立ち返っておこう。ライフログによるリコメンデーションという単位においては、実際のプラットフォーマーは、それを生かしてもっとも適切な広告をダイレクトに提示する必要がある。その分析によって広告の表示を調整する「リスティング」として知られるテクノロジーである。

Amazonで商品を検索した時の広告の表示順は、誰かが命じたり決めたりしているのではない。Amazonが決めているのは、前述の統計分析結果にもとづく基準に従い、よりアクセスされた広告を上位に位置させるという簡単なアルゴリズムにすぎない。このアルゴリズムこそが、リコメンド＝私たちにもっとも適切な広告を表示する調整メカニズムとして、私たちが商品を検索する行動と広告とを美しく適合させ、私たちの欲望に応えているのである（Amazon 2019）。

重要なのは、Amazonのリコメンドが、私たちそれぞれの生きるありようを把握し、私たちに寄り添うような「やさしい」サービスとして実現している点である。その洗練されたロジックを理解すると、Amazonがビッグデータ社会を席巻し、強力な市場支配力をもつようになったのも、当然といえるかもしれない。

ただし、〈生きることの情報化〉ということの意味は、私たちに寄り添ってリコメンドするという解読だけでは十分とはいえない。〈GAFAのやさしさ〉の本質は、「生－権力」という安全装置として理解する必要がある。そのためには、私たちの何に寄り添うのかを分析しなければならない。それはおそらく、「ライフログ」というかたちで説明される。

3　〈ビッグデータ〉のやさしさ（2）——ヘルスケア

リコメンデーションのためには、ユーザー個人の情報を収集する必要がある。ただし、そこで収集される情報は、氏名や住所といった情報ではない。〈GAFA〉が目的とする情報＝ライフログは、「個人情報」ではなく、その人が生きている様態にかんする情報である。〈GAFA〉は「誰が」という人物の特定にはまったく興味がない。あらゆる意味で個人情報に該当するようなものを、ビッグデータとしてもつことはおそらくない。そうではなく、不特定の人間が「どのように」「何をしたか」にこそ、興味があるのである。

好例として、Appleの「ヘルスケアアプリケーション」に注目してみよう（Apple 2019）。Apple Watchを利用してみると、一世を風靡したあのディバイスは、それだけを単体で使っても可視性の低い腕時計ぐらいのものでしかないことがわかる。iPhoneなどに接続されて、さまざまなアプリを活用してこそ、はじめて真価を発揮するようにできている。ではなぜそのようなディバイスが必要だったのか。それは、スマホ以上に私たちの身体に接し溶け込む端末が必要だったからである。もちろん、ポケットの中のスマホでも十分機能は果たしうる（現に、ここから述べるすべてのアプリと機能はiPhoneで利用できる）。ただ、わざわざ専用のディバイスを開発してまでも、ポケットの中からさらに数十センチ……まさにLast 1 inch……近づいて得たい情報があったのだ。それが、ライフログである。Appleが重点的に開発した（類似のプラットフォーマーはどれも似たようなアプリを開発しているが）「ヘルスケアアプリケーション」を使ってみると、その本質的意味が理解できる。

とはいえ、「ヘルスケアアプリケーション」そのものは、おどろくほど単純なアプリにすぎない。そのもっとも重要な役割は、Apple WatchやiPhoneのセンサーを使って、ユーザーの行動記録を集めることである。Apple Watchは、ユーザーの身体に密着していることで、その日々の身体の動きをいくつかの指標で表してくれる。それは一日中続き、記録され続ける。ヘルスケアアプリは、そのライフログデータのなかで、注目すべきものを自動的に選んで表示し、「シンプルでありながら意味のある動きの成果を自動的に記録」する。

何回か深呼吸して心を落ち着かせる時間を取るのは、ストレスを軽くしたり、健康全般を向上させるための優れた方法です。「マインドフルネス」とは、まさにそのことを指します。Apple Watch上の呼吸アプリケーションや、ほかの多くの他社製アプリケーションが、一日を通してあなたのプレッシャーを取り除き、心を穏やかに保てるようにサポートします。どのアプリケーションを選んでもヘルスケアアプリケーションが数字を積み重ね、あなたがマインドフルな状態でいられた時間の長さを表示します。（Apple 2019）

炭水化物、カロリー、カフェインの量や、そのほか多くの重要な栄養の数値を気にしている人もいるでしょう。ヘルスケアアプリケーションを使えば、目標を定めたり、食事を正確に把握するのがさらに簡単になります。毎食の内容をより細かくチェックできるようにする他社製アプリケーションを使うと、そのすべてのデータがヘルスケアに表示されるので、必要な栄養が摂れているかどうかをいつでも確認できます。（Apple 2019）

Appleが他のプラットフォーマーの中でも、特徴的だとみなせる点は、そのようなデータが直接的に「医療における科学的分析に結びついている」点である（Apple 2019）。より重要なのは、そのような情報の入口は、喜んでいる当人の手によるものである点だ。現在は利用者自身が、身長・体重・服用中の薬やサプリメント、血圧計の測定値や歩数計の記録を、自分で入力するシステムになっている。常に自分で登録し続けるのはいかにも大変で、もちろんやさしいApple Watchとやさしいヘルスケアアプリがその面倒を放置しておくことはない。自宅の体重計・身に付けた万歩（歩数）計・開発が進行する生活活動モニタなどの機器とパソコン・ケータイを直接ネット接続することで、利用者の健康情報・身体情報を計測・収集しモニタリングするテクノロジーをめざしている。このような情報蓄積と管理が近年の潮流になっており、Appleをはじめとするプラットフォーマーは、そのためのインフラの構築をめざしているのだ。利用者の意志で自動的に身体情報や行動履歴を蓄積し分析に資するという、強力な情報収集＝モニタリングの一形態ともいえる。

そのライフログの活用の仕方はどうだろうか。ヘルスケアアプリで蓄積・分析された情報は、二つのかたちで生かされる。まずひとつめは、「利用者個人の健康と生活管理」である。ヘルスケアアプリは体脂肪率・ＢＭＩ・持病の状況などの健康情報を、経過のグラフをとおして、時には医療専門職の見解も合わせて、私たちにわかりやすく表示してくれる。私たちはそれをとおして自分の健康状態を自ら評価することができる。もちろん人間の健康状態は、その人の生活状況に大きく左右される。私たちはヘルスケアアプリのサジェスチョンに従い、健康的な食生活を心がけたり（毎食の摂取カロリーの記録も目標である）、フィットネス機器で運動したり（それの稼働状況もそのうちヘルスケアアプリにリンクできるようになる）して、生活改善に努めるだろう。

さらにヘルスケアアプリは個人の健康情報を、もちろん利用者が許した範囲において、同じアプリのユーザーと共有可能にする。この機能を使えば、自分の主治医が健康診断情報や日々の生活状況を参照することで、治療や健康指導に生かしてもらえる。同じように、家族や友達と共有することさえできる。運動不足解消のため通うフィットネスクラブの友人や、肥満予防のため健康的な食生活を心掛ける家族と、その努力を共有できるかもしれない。

ヘルスケアアプリが「健康生活」に役立つのはただひとつ、私たちが「健康に生きるべき」で、「そのための指導や教練を受け入れ、自らの矯正に努力し続ける」時だけである。もちろん私たちは通常は、個人生活の壁にこもってその努力を怠る。ヘルスケアアプリは行動情報や身体情報をモニタリングし続けることで、最後のプライベート領域として未だ顕在化されていなかった日常生活の身体情報をあらわにし、「規律―訓練」を与え稼働させる一望監視的な装置の役割を担う。これがまさに、身体と人口を対象とする「権力」としての本質を、装置としての〈GAFA〉が露呈しつつある過程だと考えるのであれば、問われるべきはその過程と、未来に描かれる軌跡であろう。詳細に論じるためには、やはり保健制度に分け入らなければならない。

4　装置としての〈特定検診〉

Apple ヘルスケアアプリの新展開は、日本でいえば、「特定保健指導」システムと親和性が高い。「治療する医療から予防する保健へ」という、広く指摘されてきた社会的文脈、そして介入的な安全装置の展開の一部と位置づけられる。

「予防のポリティクス」（渋谷 2003: 170-183）の潮流から取り残されないよう、渾身の国家プロジェクトとして日本政府が取り組んでいるのが、四〇歳から七四歳のすべての被保険者・被扶養者を対象に実施される「特定健康診査・特定保健指導」（特定健診）である。二〇〇八年四月から導入された特定健診は、内臓脂肪症候群（メタボリック・シンドローム）の概念の導入で周知されているし、受診した経験があるという人も多いだろう。特定健診がこれまでの健診と本質的に異なる点は、大きく二つに整理できる。まずひとつめは、その目標が明確に定められているという点である。特定健診は医療介護連携政策課およびデータヘルス・医療費適正化対策推進室の主導のもと、二〇二二年までにメタボリック・シンドロームの該当者及び予備群を二〇〇八年比で二五パーセント減少させるという、成果の目標値が明記されている（厚労省 2018）。これは医療費のかかる生活習慣病におちいる患者数を減らし「中長期的な医療費の伸びの適正化をはかる」（厚労省 2018）ために掲げられた、公衆衛生的にも、医療経済的にも合理的な目標である。

そのために「特定健診」は、高度な情報ネットワークを前提として設計されている。特定健診・

保健指導の結果は、医療保険者のもとに電子データのかたちで集約される（厚労省 2007a: 138）。電子化されることで健診対象者のデータは、保険者または医師等によって統計的に分析され、結果は医療費等のコントロールに用いられる。

特定健診の目的は、健診対象者が健康かどうかではなく、誰にどの程度生活習慣病のリスクがあるかを分析し、抽出することにある。「（メタボリック・シンドロームという）科学的根拠に基づき健診項目の見直しをおこなうとともに、生活習慣病の発症・重症化の危険因子（リスクファクター）の保有状況により対象者を階層化」し、「標準的な判定の基準を導入する」（厚労省 2007a: 4）ことが、特定健診の意味である。具体的には、腹囲の基準（男性八五センチメートル、女性九〇センチメートル）を超えているもの、下回っていてもＢＭＩが基準値（二五）を上回っているものを抽出し、血糖値などの追加リスクの数値によって階層化する。

特定健診の難点は、リスク保有者の数がきわめて多いところにある。例えば腹囲基準の八五センチメートルは日本人男性の平均とほぼ同じで、大半の対象者が該当する。健診を受けて驚いた人も多いだろう。リスク項目をあわせ純粋にメタボリック・シンドローム該当者・予備軍を抽出しても、四〇代以上の男性の二人に一人、女性は五人に一人があてはまってしまう。該当していない場合もぎりぎりのクリアが多く、特定健診で示されている基準は、大半の人間にとって意識しなければならないものである。

特定健診の結果から生活習慣病の発症リスクを知ったのちに、生活習慣を見直すような指導を受けることになる。これが「特定保健指導」[3]で、具体的な指導まで制度化されたのも、特定健診の特徴である。しかもそれは、対象者の内面的な教育に傾注する。

保健指導では、対象者自身が健診結果を理解して身体の変化に気づき、自らの生活習慣を振り返り、生活習慣を改善するための行動目標を設定するとともに、自らが実践できるよう支援し、そのことにより対象者が自分の健康にかんするセルフケアができるようになることを目的としている（厚労省 2007a: 69）。

「特定保健指導」が対象としているのは、それぞれ固有の生活習慣をもつ——それゆえ、簡単に生活習慣病に陥ってしまう——個人である。保健指導のうち「情報提供＝対象者に健康を目標とさせること」が、健診結果にかかわらずすべての人間になされるのは、偶然ではない。個人の意識を変え、健康な身体と生活となるように訓練していく保健指導は「役立つ個人をつくりだす技術」としての規律・訓練（Foucault 1975=1977: 212）と、なんら違いはない。ここで間違えてはいけないのは、〈特定健診〉の基準は医学的かつ科学的に定められているもので、対象者である私たちが疑いをかける余地は（原則として、または科学的反証が認められない限り）ないという点である。しかしあまりに大量の該当者・対象者に介入するには、コストがかかりすぎる。そこで二つの工夫がされている。

ひとつめは、基準をわかりやすくオープンにした点である。シンボルとなった「腹囲」は、健診時に測定しやすいだけでなく、誰にでも（それこそ着替えの度ごとに）意識することができるという点で、優れた基準だろう。人々の意識は、自らの生活や健康そのものよりは腹囲に集中することになり、自らの腹囲の減少を常に目標にするようになる。私たちじしんが望むことであるが、私たちの身体は、常に記録されている。私たちはその下で、自らの腹囲を基準に合致させるよう努力しつづける主体となる。安全装置が出力した〈基準〉が、発動の局面で〈規律〉のように機能しているのである。

ここで留意したいのは、装置としての〈特定健診〉が、人口の健康を管理する安全装置そのものである一方、その発動の局面は、個別化されて身体を訓練するかたちであったという点である。それは「身体を引き受け、練習や訓練などによって身体の有用な力を最大化する諸技術」（Foucault 1997=2007: 242）であり、まさに「もっともコストのかからないやり方で、監視と階層化と視察と記述と報告のシステムによって行使される権力の合理化および厳密な管理の諸技術」（Foucault 1997=2007: 242）となっている。フーコーはこれこそを「規律的テクノロジー」（Foucault 1997=2007: 242）と呼んだ。ポスト・ビッグデータとでも呼ぶべき時代においてプラットフォーマーが実現しているのは、安全装置が出力した基準を、規律のように発動させる作用である。「人口の健康」ではなく「健康な主体」が目的なら、〈特定健診〉は安全装置の中で、規律的に発動するものとみなせる。

5 〈特定健診〉から〈介護予防〉へ

安全装置である〈特定健診〉が規律的に作動しているという事実は、私たちにこれまで安全装置とみなされ、それゆえ改善・対抗・覚悟の対象となってきたいくつものシステムに、抜本的な見直しを要求しかねない。その代表例が、日本の福祉制度の大黒柱である介護保険である。

介護保険の制度的説明を、ここで繰り返す必要はないだろう。一方で、対象年齢が若く疾病状態にない層を対象とする特定健診が、介護保険制度の前段階として連続して機能するようになるのは、自然だといえる。(4) 特定健診・特定保健指導はできるだけ「健康」なまま年を重ねる高齢者を輩出するという役割を担っており、介護予防をおこなうにあたっての「水際作戦」(厚労省 2009a : 3) そのものである。今後年を重ねていけば、大半の人々が――現行の制度が継続するという前提ではあるが――特定健診・特定保健指導を受けたのちに介護保険制度に参入するという連続性の中で、年をとっていく。要支援者向けのサービスが「介護予防」と銘打たれ、「介護予防・日常生活支援総合事業」として重点化されているように、介護保険はそもそも予防的な発動に傾斜する制度である。その目的は、〈特定健診〉と完全に同じ軌道上にあり、むしろ安全装置としては同体のメカニズムであると考えた方が自然だろう。

対象者を集団として把握し階層化する機能の多くは、介護保険においては「要介護認定」が担当している。調査員の調査結果をコンピュータによる一次判定にかけて算出するあり方は、まさにアルゴリズムで管理するような安全装置の骨格を、情報技術が担っている典型例といえるかもしれない。その内実は「一分間タイムスタディ」「中間評価項目」「樹形モデル」等によって構成されている。(5)

まず一次判定ソフトにおいては、申請者の「能力」にかかわる情報や、「介助の方法」および「障害や現象（行動）の有無」に関わる調査結果情報を入力することで、「行為区分毎の時間」とその合計値（すなわち、要介護認定等基準時間）が算出される設計となっている。つまり、要介護認定では、申請者の状態を数量化し、この値とタイムスタディ・データとの関連性を分析することで、「介護の手間」の総量である要介護認定等基準時間を推計している。この推計時間を利用することで要介護度を決定するという方式が採用されている（厚労省 2009b : 3）。

要介護認定の正しさは、二点によって強固に支えられている。まず、その科学性である。そもそも介護保険制度じたいが、制度設計から運用、事後評価にいたるまで、きわめて「科学的に」できている。一分間タイムスタディを用いて数多くのケースを仔細に調べ上げデータ化する科学的な調査手法、その結果を分類するための統計的手法の産物である「樹形モデル」など、はじまりから終わりまで「科学的に正しく算出された」基準であるという点は徹底されている。

もうひとつは、それが実際の調査結果に従った現実のものであるという点である。繰り返される「高齢者介護実態調査」やモデル事業などは、すべては現在ないしは過去に実際に介護を受けている人が、外形的にはそれで生活できていた証拠でもある。同時にそれに対応させているのは、申請者・利用者じしんの現実である。申請者ひとりひとりを訪問し、聞き取って慎重に調べ、特別なことは特記事項に記録され主治医のコメントも合わせて調査の元となる。可能な限り現実をふまえて分析された要介護度は、まさに「あなたをモニタリングした、あなたに合致した」基準なのである。

定期的に認定を受け直す要介護度は、利用者にとって自分の状況が悪化していないかどうかの、貴重な目安となる。特に要支援であったり要介護度が低い人は、「廃用症候群」や「生活不活発病」を避け自立度を上げるために、自分でできることをやろうとしたり自己流のリハビリをしたりと日々の努力を欠かさない人が多い。(6)〈特定健診〉と類比してみれば、介護予防・日常生活支援総合事業の普及・展開を前提とする介護保険制度もまた、科学的に算出された基準が、規律的に発動する局面をみいだすことができるだろう。ただし、同じ予防メカニズムだとしても、人間の生活基盤全体を支援するという目的をもつ介護保険の場合、装置としての〈介護保険〉が見せる規律的側面は、より深刻な作用をもたらしうる。ここにこそ、〈特定健診〉・〈介護予防〉とビッグデータ・システムとの同期、つまりポスト・ビッグデータ社会の本質が現出するのだ。

現在の介護保険は「適正化」と「指導監査」の色に彩られた制度でもある。例えば、次章で詳述する、科学的介護のための介護保険のデータベース化（CHASE）は、まさにそれを実現するものといえる。「介護給付の適正化」「介護サービスの適正化」など、介護保険のあらゆる局面で「適正化」が果たす役割は大きい。介護給付費の適正化は、介護保険を使うべきでない例や、使い方がよくない例を把握し、是正することを目的としている。これまで事業者の不正受給ばかりが注目されてきたが、保険者の判断からケアマネージャ、ヘルパーのサービス、そして利用者じしんの不正利用など、適切ではない介護保険の利用に広く網をかけるものである。

その「適正化」の中心的な不正検知の手法は、不正を行っている主体を探しに行くのではなく、地域・自治体・保険者、そして事業者ごとの給付状況を把握し、全国平均や標準的な目標と比較するというものである。介護保険は給付管理にもソフトウェアとネットワークを利用しており、実際に膨大な給付実態の情報が集約されている。つまり介護保険は、設計段階で強力なモニタリングの装置が組み込まれているのだといえる。現に、国民健康保険中央会には適正化を判定するコンピュータ・システムがあり、その情報を標準化して比較できる。そこでの「標準的な給付の状況」を保険者・自治体ごと、ないしは事業者ごとに比較することが可能である。どこかがとびぬけて多かったり少なかったりする――たとえば、要介護5の人数に対して全国平均よりも給付額水準が多かったり、要介護2の生活援助が極端に多かったりする――ことがわかると、そこに適正ではない受給状況、そしてサービスの実施が存在していると判断され指導が入る。

主体ひとりひとりを個別に調査するのではなく、概観の数値から分析し管理するあり方は、まさに安全装置の真骨頂ともいえよう。しかしここで注目するべきは、それが「適正化の運動」としてはじまっている点である（厚労省 2004）。多額の予算が組み込まれた介護給付の適正化は、実際には各自治体による「介護給付適正化推進運動」としてなされてきた。内容を大きく整理すると「典型的な不正例の紹介」、「成果を上げているモデルケースの紹介と勧奨」、「自己目標の設定と自己評価」に分けられる。それらを講習等で徹底し、それぞれの主体の意識に植え付け、運動を喚起することが、「介護給付適正化運動」の目的であった。膨大な情報すべてを分析するような人的余裕がない中では、きわめて効率的で現実的な方法である。この特徴は、「適正化」のロジックが存在しており常に稼働していることを、介護保険に関係するすべての主体に認識させることにあると言ってもよい。つまり自分たちのサービス場面や給付管理の場面が、一望監視的に見張られていることを意識させるという、〈規律的な発動〉こそが本質なのである。

こう考えれば、なぜ介護保険制度が、ここまで情報処理技術を組み込み、その動きが加速するばかりであるのかがよくわかる。すでに大半の包括支援センターと事業所はネットワークで繋がり情報をやり取りしているが、現在はそれがモバイル端末に拡張し（柴田 2012a）、施設であればすべてのベッドサイドに配置されたり、ヘルパーが訪問時に持参したり、中には利用者の自宅に備え付けられたりして、介護実績をモニタリングしている。そのような介護情報システムがデータを集め、報告し続けている理由は、単に要介護認定や給付管理を効率化するためだけではない。そのような通常業務の役割とともに、介護保険を利用している人と、その支援により生きる営みにかんする情報が定期的に集められている。適正化の対象にもなりうること、一望監視の元にあることを自覚してもらうことも、隠された本質的な役割なのである。

介護保険が規律装置でもあるのなら、さらに重要な論点に踏み込まざるをえない。まず、この場合に規律を内面化しているのはどの主体なのかという点である。確かに「適正化運動」の主たる対象は保険者や事業所であった。しかしその「適正化」の影響をもっとも受けるのが、ケアマネージャー、ヘルパー、そして利用者じしんであることは論をまたないだろう。

高齢者がもっとも必要とする「清潔な居住空間と適切な栄養」は、同居者がいれば、状況の斟酌なしに「給付を適正化」された。保険者である自治体が「適正でない」と判断すると、いったん介護サービス事業所に支払った介護報酬を返還させられ、中には介護サービス事業所の指定を取り消される例もあった。これが現場の恐怖心を招き、過剰な自己規制を生み、「ケアマネージャーは、専門職としての裁量を放棄した」といわれる状況を招いた（沖藤 2010: 43）。

介護保険は支援を必要とする高齢者にとって、生活資源を分配する最大の装置である。医療や介護の〈予防〉の地平に充満する適正化の結論は、誰にどれほど資源を――しかも生活に必要不可欠な最低限の資源を――分配するか、ということと強い相関関係にある。特定健診や介護予防の成果が利用者の生活の積み重ねの結果である以上、利用者の生活が適正化されなければ、その総体も適正化されない。適正化されるのは結局、利用者の生活と、利用者本人なのである。

「適正化」が〈特定健診〉・〈介護保険〉の装置としての特徴を呈していることが説明できれば、介護の現場の〝空気〟が、なぜこんなに、自制させられているのか、〝自粛〟に彩られているのかを、深く理解できるようになるだろう。著者の出会ったケアマネやヘルパーも、もっとサービスを提供したいとの本心を語ってくれる。出会った利用者の大半は、もっとサービスを使いたい・お願いしたいという内心を明かしてくれた。しかしほとんどの利用者は過剰に望むことはなく、傍から見ていると気の毒なほど――時には不条理に思えるほど――自粛して生きている。人々は支援を要求するのではなく、自ら生活を改良・適正化し、利用を自制する――〝自粛する空気〟――の中で生きている。介護サービスの自己負担額を減らしたいというより、サービスを〈適正〉な範囲でとどめるべきという雰囲気のなかで、つまり〝自粛する空気〟のなかで、サービスは危険なぐらい絞られることが多く、それに対する明確な反対は実りにくい。

サービスの過剰が控えられたり、遠慮されたりする論理については、立岩真也（2009）などが繰り返し言及している。介護保険下での〝自粛〟的な生活は、社会保障費の高騰による予算や資源の不足のみで説明されてきた。有力な反論も多々ありえるが（上野・立岩 2009）、仮に負担急増のプロパガンダを論破できても、実際に利用者や現場の側がサービスを控えるようになってしまっている点は、見過ごされてはならない。そこで透けているのは〈特定健診〉や〈介護保険〉という装置が、最小の資源利用による個人の自立＝つまり利用の抑制を目的としているという本質である。生きるためのサービスを〝自粛〟して生きるという本末転倒な生き方を強いるメカニズムが、適正化の監視の下で〝自粛〟するメカニズムと化して、上から順番に埋め込まれてきている。

極論をいえば装置としての〈特定健診〉や〈介護保険〉は、資源不足でも措置制度では正当化できなかったサービスの制約を、契約という名で利用者の内側に埋め込むために開発された装置ともいえるのかもしれない。自粛するメカニズムの集積は介護給付の適正化をとおして、急増する介護給付費の総計を自制させる装置となるだろう。その目的は安全装置によって出力された基準が、適正化というかたちで人々の内側から自粛させるという発動をもって達成される。個別の生活を省みず全体の管理に集中する安全装置が、各個人の行動や生活を直接拘束することの悲劇が、そこに発見できるのである。

6 〈規準〉と適正化

ビッグデータ時代における権力装置としてのプラットフォーマーとして、必須条件のようにライフログとリコメンデーションを実装する〈ＧＡＦＡ〉の可能性を、私たちの生活に投影すると、それと〈特定健診〉が浮上させる安全装置としての基準が、実は規律的に発動しうる像として反響するかのごとく重なりあって見えてくる。さらに〈特定健診〉と同じ予防システムとして接続されており、同じように情報ネットワーク化されていて、同じように発動する〈介護保険〉の適正化運動を読み解くことで、安全装置が規律的に発動するということの意味を、見透すことができる。このような安全装置の規律的な働きは、Appleのヘルスケアアプリのように、保健制度の中の特定健診のように、そして福祉制度の中の介護保険のように、まだ限定的に見られるにすぎない。しかし忘れてはいけないのは、それらが〈ＧＡＦＡ〉のようなビッグデータを胚胎としている事実である。近年それは個人の身体・行動・生活のひとつひとつをモニタリングすることで、一望監視の下に置くことを可能にする技術として具体化している。そのまなざしにさらされる個人が、再び「権力的関係を自分に組み込んで、自分がみずからの服従強制の本源となる」(Foucault 1975=1977: 205)という、〈規律―訓練〉の中に投入されることになるのは、容易に予想できる。問題なのはその場合の〈規律―訓練〉が、人口全体の管理のために安全装置が析出する数値＝基準に従い〝自粛〟として作動する点にこそある。間違えてはいけないのは、統治のための安全装置と規律装置は「排除し合うことなく、たがいに連動することができる」(Foucault 1997=2007: 249) 点である。それゆえフーコーの議論の主眼も「何が主調となるか」(Foucault 2004a=2007: 11) であった。それでもフーコーが強調してきたのは「安全と規律のあいだの対立」または「区別」(Foucault 2004a=2007: 69) であったし、両者は「別の次元、別の階梯にあり、別の対象を持ち、別の道具を利用している」(Foucault 1997=2007: 242) であったはずである。つまり〈基準の規律的な発動〉は、権力装置の主流が〝転調〟する端緒であるかもしれない。「個人を内的に従属化するタイプの介入ではなく、環境タイプの介入が行われる」(Foucault 2004a=2008: 319) はずのビッグデータ時代の〈GAFA〉が、安全装置の象徴ともいうべき予防メカニズムの〈特定健診〉と〈介護保険〉が、明らかに越境して私たちを個別化し、内的に従属化するような振る舞いを見せている事実に、違和感は残らないだろうか。ここで私たちは、権力装置の〝転調〟——安全装置とその規律的な発動——の詳細を検討しなければならないだろう。

慎重を期すため、フーコーの安全装置の定義に戻るところからはじめたい。

安全装置は第一に、当該の現象を、一連の蓋然的な出来事の内部に挿入するようになる。第二に、この現象に対する権力の対応が何らかの計算のなかに挿入されるようになる。つまりコストの計算です。そして最後に第三に、許可と禁止という二項分割を設定する代わりに、最適と見なされる平均値が定められ、これを超えてはならないという許容の限界が定められる(Foucault 2004a=2007: 9)。

安全装置は第一に、具体的な現象を集合として把握する。第二にそれを統計学的手法により計算する。ここまでに変調は見られない。第三に計算結果が、基準として設定される。本章で挙げた三つの〈装置〉は、ここでズレを起こしている。安全装置が出力する基準は環境テクノロジーにとっての基準で、許容の「限界」でなければならない。私たちはその基準の内側にいるのであり、限界を破ることは許されないというかたちで、環境を管理する「生 - 権力」の調整を自覚なく受けている。その限界からは可能な限り離れて生きる——まさに平均として生きる——ことにこそ価値があり、そこからこぼれ落ちたら保障はないような基準である。しかし本章の三つの〈装置〉が出力した基準は、私たちの平均値でも許容の限界でもなく、むしろ未到の目標値であって、私たちはそもそもその値に収まらずに生きていた類のものである。そこで権力が私たちに与えた基準は、最初から私たちと離れた位置に明示的に設定される。それゆえ私たちには、そこに可能な限り近づき到達することが求められてくる。「そもそも私たちの外側に、環境に設置され、権力が知っている（だけでよい）基準」と、「そもそも関係なく生きていた私たちに突然降ってきて、明示化された〈基準〉」とは、似ているようで本質的な違いがある。

規律的な統制システムにおいては、確定されているのはしなければならないことであり、従ってそれ以外の残りは確定されず、禁じられている。（…）安全装置においてはまさに、妨害されているものという視点も義務的なものという視点も採用されません。（…）規律は命令する。

それに対して、安全は本質的に言って禁止も命令もせず、（…）ある現実に応答することを機能とする（…）。（Foucault 2004a=2007: 56-57）。

安全装置は、人口の外側の環境に基準を設定し、さまざまなリスクに対処しつつコスト計算をしながら調整する。その中で人口の一部が基準の限界からこぼれ落ち、排除されるのは予測の内にある。全体の人口にダメージが残らないよう背後から内部要因を調整したり、時には限界の基準を動かしたりすることで権力装置は機能する。

ビッグデータ時代の装置としての〈GAFA〉、〈特定健診〉、そして〈介護保険〉が示す基準はやはり「しなければならないこと」の明示であり、まったく異なる。よって本書ではそれを――しなければならない明示化された基準――を仮に〈規準〉と呼ぶこととし、安全装置の基準と区別したい。[7]〈規準〉と基準は、以下の三点で明確に異なってくる。

(1) 自由

安全装置は基準の枠内であれば、「放任する」（Foucault 2004a=2007: 55）。「安全装置はまさしく、自由が与えられてはじめてうまく機能することができる」（Foucault 2004a=2007: 56-59）。他方〈規準〉は、それをめざして生きなければならない。そこには自由はなく、むしろ主体の生、存在を最初から最後まで拘束しつづけるような機能が働いている。

（2）秘密

もうひとつの差は、「秘密という問題」（Foucault 2004a=2007: 338）である。統計的な権力は、秘されていなければならない。「敵や対抗者が、その国家の使える人間や富といった現実の資源がどのようなものかを知ってしまってはならない」（Foucault 2004a=2007: 338-339）。それゆえ安全装置の基準も、安全装置そのものも、私たちからは不可視のところで機能する。正反対に〈規準〉は完全に明示され、まさに可視的で、主体に自覚されることに価値がある。その装置の存在と機能も、私たちを一望監視のようにモニタリングし続けていることも、また明示されるようになっている。

（3）規範

規律装置にしても安全装置にしても、規範は出発点となる（Foucault 1997=2007: 251）。規範は正常と異常を区別する意味で基準にも〈規準〉にも共通に必要だが、その性格はずいぶん異なる。安全装置は「善とも悪とも評価されず」（Foucault 2004a=2007: 55）機能するもので、基準には正常／異常の判断は必要ない。区別は「高リスクの地帯と低リスクの地帯」（Foucault 2004a=2007: 75）として事例の分布としてのみあらわれるにすぎない。その意味で基準は〝なめらか（なだらか）〟でもある。しかし〈規準〉の場合は、後に述べるように別の規範構築の図式をもつ。それは規律的正常化の過程──「役立つ個人」であるかどうかに類似する。〈規準〉に合致していれば正しく、合致しないものは間違っているとして適正化の対象となる。

7　生きることを〈自粛〉する装置

〈規準〉の特徴は、全体的な人口や社会の管理を目的とする指標ではあるものの、権力が自ら背後で使用するものではなく、主体の前に開示され、それを拘束しようとする点にある。ただし基準から生まれた〈規準〉は、似てはいるが規律そのものではない。その差こそが〈規準〉により統治させる空間の、特殊な性格を生み出すことになる。

規律の場合、それは「権力の自動的な作用を確保する可視性への永続的な自覚状態」（Foucault 1975=1977: 203）を生み出す一望監視装置を必要とする。しかし一望監視装置は私たちを視線にさらす一方で、視線にさらさない面もあわせもっていた。思い出さなければならないのは、それが独房の管理システムだった点である。

> 今や各人は、しかるべき場所におかれ、独房内に閉じ込められ、しかもそこでは監視者に正面から見られているが、独房の側面の壁のせいで同輩と接触をもつわけにはいかない。（…）ある情報のための客体ではあっても、ある情報伝達をおこなう主体にはけっしてなれないのだ。
> （Foucault 1975=1977: 202-3）

一望監視はこの二つを組み合わせて「完全に個人化され、たえず可視的」（Foucault 1975=1977: 202）

な規律装置として機能する。しかし、例えばビッグデータ社会において、〈GAFA〉のようなプラットフォーマーが生み出す空間は、独房といえるだろうか。特定健診にしても介護保険にしても、隣人――たとえば家族など――を積極的に巻き込もうとするほどである。なにより、Google も Apple も〈特定健診〉も〈介護保険〉も、〈規準〉に反した個人を刑罰で拘禁したり監獄に監禁したりすることは絶対にない。腹囲がオーバーしてメタボリック・シンドロームになっても罰せられないし、要介護認定以上に介護サービスを使いたければ、自己負担すれば利用してもかまわない。〈規準〉の元で努力する生活は自由とはいえないが、それに反したからといって拘禁されるわけでもないのである。〈規準〉は生活を拘束するが、拘禁はしない。よって規律は命令だが、〈規準〉は推奨にとどまる。

拘禁なき規律が守られることはない。処罰なき監視のもとでも、私たちは〈規準〉を守るだろうか。きたるポスト・ビッグデータ時代においてそれが守られるべき理由は、すでに〈GAFA〉、〈特定健診〉、〈介護保険〉を架橋する過程――それが安全装置として機能している過程――で浮かび上がっていた。

（1）〈規準〉が科学的に「正しい」こと

ひとつは、それが科学的に厳密に算出されていて、合理的な基準であるからである。規律は逸脱を罰するが、「不適合なものという明確ではない領域が処罰可能とされる」（Foucault 1975=1977: 182）

あいまいなもので、それゆえ強制力をもっていた。一方、科学的な〈規準〉は、「それ以外、正解がない」という理由で、私たちに遵守を迫るのである。

規律は規範によって正常／異常を規定する。それによって「不適格・無能力とみなされる者とそれ以外の者との分割を打ち立て」(Foucault 2004a=2007: 71)、正常化（規範化）をはかる。つまり規律に従わないことは悪いことで、異常なので「正常化」される。他方、〈規準〉は科学的統計学的に算出された社会全体の「正解」である。よって〈規準〉が私たちに示しているのは、正常か異常かではなく、社会全体の観点から「正しいか／間違っているか」になる。〈規準〉に従わないのは単に間違っているので、「適正化」されなければならない。

(2)〈規準〉が利用者のモニタリングの結果であること

〈規準〉を守らなければならないもうひとつの理由は、それがまさに「あなたを根拠としている」からである。〈規準〉はモニタリングし続けた、利用者の過去と現在の情報の集積からも生成される。装置は利用者の過去の生活、身体状況、生活環境の情報を仔細に収集した上で、社会全体の観点から〈規準〉を出力している。〈規準〉がその値になった理由の半分は、あなた自身にある。「あなたに由来する、あなたの〈規準〉」を守らない理由はない。

守るべき正解を、それでも守らない場合はどうなるのか。規律装置と異なり、〈規準〉の場合は監禁されたり処罰されたりすることはない。そのかわり責任は、すべて自分で引き受けなければならない。つまり完全なる自己責任となる。規律装置の監禁は、その主体が服従し社会に有益になるように訓練し続ける。よって「被拘束者が決定的な社会的再適応をおこなうまで、監禁には取締りと援助の施策がともなわなければならない」(Foucault 1975=1977: 202-3)。「社会に役立つ個人をつくりだす」責任は、社会の側も分担している。しかし〈規準〉の場合、「正解」を守らないのは自己責任であり、社会の側に責任はない。権力装置ないしは全体社会は、そこに関与をとめる正当性を見出すことになるだろう。

〈規準〉は自己責任の論理を正当化する。例えば要介護度が〈規準〉であれば、それが認めたもの以上にサービスを提供できないことが正当化させられてしまう。その利用者が生活していく上で必要であることが明らかだったとしても、間違っているのは正解を守れない方であり、必要なサービスでも自己負担をするか、ないしはサービスを自粛するかしかなくなる。(8) 将来的には、〈特定健診〉も自己責任化する可能性があるだろう。健康の〈規準〉を守れないのは自己責任であり、医療費の自己負担分を増額するか、健康保険料を多く負担するべきである、という論拠に正当性が生まれることもありえる。医療費急増が叫ばれる時代において、私たちがそのために自らを適正化——余計に自己負担するか、ライフルタイルを〈規準〉にあわせて適正化すること——を迫られる可能性は、さほど低くない。「自己責任で守るべき正解」という〈規準〉の駆動が、私たちを適正化の運動へと導きつつある。

8 「埋め込み型自粛装置」と〈規準―適正化〉社会

結局、きたるポスト・ビッグデータ時代において、なぜ安全装置は〝転調〟するのだろうか。おそらく安全装置の野望が完全に失われたわけではないだろうが、その解明は本書全体の力量をも超える。それでも解答のひとつは提示できる。「安全装置は、そして管理社会は、統治に失敗した」のではないか。

ここで管理社会や福祉国家の歴史過程に言及する余裕はない。しかし、安全装置が生‐権力として有効である条件は、以下であったはずである。

諸個人の、ただ生きるというよりましに生きるということとしてのこの至福こそ、いわば天引きされて国家によって有用なものへの構成されるべきとされる当のものなのです。つまり、人間たちの幸福を国家にとって有用なものとすること、人間たちの幸福を国力自体にすることです（Foucault 2004a=2007: 404）。

振り返ってみると、人口の至福を国力に接続する機能は、多くの先進国――〈GAFA〉をプラットフォームとしている国々――において、すでに危機に直面している。「人口増加の終焉」「高齢化のグローバルな進行」「再生不能な資源のコストの急騰」などが浮上しつつ、また金融市場の全体がリスクと化し、国際的均衡を図る調整機能は機能不全を呈している。高リスクと低リスクの分布どころか環境すべてが危機に直面しつつある中で、安全装置が変調をきたすのもうなずける。あえて話を日本に絞れば、国家としての人口統治は完全に破綻しているといってよい。確かに人口が増える必要はない。しかし内部の均衡が完全に崩れ、調整不可能の未知の領域に達しつつあることは、特定健診・介護保険を中心とする社会保障制度の深刻な財源不足・人材不足も、残念ながら確証のひとつになってしまっている。人口管理を独占的に所管していた安全装置が後景に退き、一見先祖返りを起こしたかのように一望監視的テクノロジーが前景化するのも、わからないわけではない。

安全装置はそもそも、「人口を管理するにあたって人口の欲望の自然性（欲望による集団的な利の自発的生産）を出発点とする」。（Foucault 2004a=2007: 89）

欲望の自発的な（というか、ともかくも自発的であり調整されてもいる）戯れこそがじじつ何らかの利を生むことを可能にするということです。人口自体にとっては、何らかの利となるものが生産されるのです。欲望の戯れによって集団的な利が生産されるということ、これこそが人口の自然性をしるしづけるとともに、人口を管理するために用いる諸手段のもつありうべき人工性をしるしづけるものなのです。（Foucault 2004a=2007: 89）

競合する欲望の調整こそが、安全装置にとっての力の源泉であった。しかしそのような調整の機能は、ビッグデータ社会、さらにその次にきたるポスト・ビッグデータ社会という経済的にも人的にも資源が限界である世界――例えば日本の高齢社会の現実――でも、有効でありつづけるのだろうか。そこで、直接欲望を止める〈装置〉が求められたのではないか。他方で、装置としての〈GAFA〉〈特定健診〉〈介護保険〉を接続することで、私たちは欲望の〝自粛〟を正当化し、自らを適正化しつづけるような〈規準〉を浮かびあがらせてきた。

適正化がおそらく〈自粛〉という結果を生むのは、これこそが原因となる。様々なコストをカットする装置として、安全装置の調整ではなく〈規準〉による適正化が選ばれつつある。その意味で適正化が〈介護保険〉に典型的に見られるようになったのは、そこに投下される資源量がそもそもきわめて制約されていたからだとわかるだろう。社会的に資源が枯渇したり事情が発生したりした場合――例えば社会保障予算をより減額したい場合――は、〈規準〉の方が変わることになる。主体はそれにむけて、再度適正化を図らなければならない。安全装置が失敗した欲望を〝自粛〟するメカニズムの作動対象は、人口全体でも、個人の行動でもなく、適正な主体に向けられている。

浮上してきた〈規律―適正化社会〉が、現実として必ず到来すると強弁するつもりはない。しかし、「人間たちが何であるか」を問題にした〈規律社会〉が、「人間たちが何をしているか」と問う〈安全管理社会〉に〝転調〟するならば、権力装置の再びの〝転調〟が「人間たちが何であるか」をまたしても問題にしかねないことは、指摘しておかなければならない。資源が枯渇しリスクが増大し続ける社会に、存在する価値・生きる価値があることを、適正化でもって示し続けなければならなくなるという〈規準―適正化〉社会が、そこに発見できる。権力装置の〝転調〟は、まさにそのさきがけなのかもしれない。

本章における最後の問題は、ビッグデータ世界を覆う〈Google〉に類する情報ネットワークの規律的作動が、最終的に〈規準―適正化〉社会の立役者になるという点である。私たちは〈GAFA〉というプラットフォーマーに、自ら望んだり許可して、自分の情報を吐き出し、一望監視下に存在している。〈規準―適正化〉の権力装置にはいずれも――そうしなければ資源分配の面で著しく不利になるからであるが――自ら望んで参加している。現に自分たちをモニタリングするディバイスは、私たちの身体の側に設置されている。この〈自粛〉型権力装置は最終的には、私たちに埋め込まれるのである。

〈規準―適正化〉社会の具体化は、より適正な生活・より〈自粛〉した生活というかたちで到来しうる。装置としての〈GAFA〉がそこに寄与するのであれば、それは〝やさしい〟プラットフォームだからではなく、私たちが社会に〈やさしい〉存在になるという意味だろう。フーコーの言葉でいえば「従順で有益な」（Foucault 1975=1977）主体というよりは「愚直に適正化された」主体ということになる。ビッグデータ時代としての現代社会に充満する〝息苦しさ〟や〝自粛の空気〟が、それを予見させる。

第4章　なぜ、〈ビッグデータ〉は〈愛〉なのか
――マイナンバー・介護保険・〈擬制される生〉

1　〝愛〟の情報社会

私たちが「それ」を望むふたつめの理由は、〝愛〟の渇望である。私たちは常に愛に飢えていて、そして確かに愛されていたはずだった。しかし振り返ってみて、本当にそれは愛だったのだろうか。与えられていたはずの愛が、実は愛ではないとわかった日ほど、悲しみにくれる時はないに違いない。さらに深刻なのは、元々の愛が、ほかでもない拘束的で〝がんじがらめの愛〟であった場合である。もちろん、そのような愛を自分から望んだわけではなかったけれど、それでも〝愛されている〟という一点においてのみ、私たちは我慢していたし、時にはこちらからも愛しさえしていた。それゆえ問題は、私たちの悲しみの奥底にこそある。〝がんじがらめの愛〟から愛が引き算されたら、

そこにはがんじがらめという拘束しか残らない。私たちはそんなものに、隷従しつづけることができるのだろうか。

〈生きることの情報化〉のふたつめの意味は、前章で論じた「個人・主体」から、やや視角を広げた思考実験としておこないたい。それは生きる主体である私たちと、その自らをとりまき、見守るような空間の情報化を熟慮し、その未来と論理的帰結を考察するものである。この思考実験を著者は、「〝愛〟にかんする思考実験」と呼んでいる。なぜならそれは、〝私たちを愛していた〟はずのもの——つまり我々を管理の名のもとに教導し生かし拘束し、そして生かし続けてきた——いわゆる生‐政治にかんする考察に他ならないからだ。さらに言えば、それが、私たちを〝愛する〟ことを、すなわち、生かすことを決定的に止める地点こそが、この思考実験の到達点となる。

〈生きること〉を論理的に考える道標として、本書ではフーコーの〈生‐権力〉論に依拠してきた。本章においては、それが社会統治のために駆動する〈生‐政治〉が射程となるのだが、ここで素朴な疑問を呈示せざるをえないのだ。それは、第3章の掉尾でたちあがった問題意識——「私たちの生を管理し拘束してきたはずの生‐権力は、実際のところ、私たちの管理に本当に成功しているのか」という疑問である。

生‐権力に対する唯一の（そして皮肉な意味での）信頼の源は、我々の生命と身体を人質に取ることで、（いずれ死の中に廃棄するにしても、そしてその質や量はともかくとして）、私たちを生かす、という一点に限られていた。しかし私たちは実際には、生きづらくなっている。少子化、高齢化、さらには「多死社会」とまで言われる状況は、本当に生-政治の結果なのか[1]。

実際に生-政治は、明らかにその機能の仕方を変えつつある。そこにこそ、〈生きることの情報化〉の、ふたつめの意味が隠されている。私たちを〈生かさない〉権力として、にもかかわらず、なおも私たちの生命を絡めとって統治しようとし続けた場合、私たちはその時点でも、〈生かさない生-政治〉に服従しつづけることができるのだろうか。この思考実験は、私たちが生きることの〈情報化〉を望む覚悟を問うているといえるのかもしれない。

2　生-政治の〝敗北〟

生-政治の量的敗北——人口減少の失敗

我が国は、社会経済の根幹を揺るがしかねない「少子化危機」とも言うべき状況に直面している。(…)少子化等による人口構造の変化は、我が国の社会経済システムにも深く関係する問題であり、直接的には年金、医療、介護に係る経費など社会保障費用の増大を招くとともに、経済成長への深刻な影響も懸念されるという点で、社会的課題であるということを念頭に置いた対策が必要である。(内閣府 2013: 37)

人口縮減に伴い、世界に前例のない速さで高齢化が進み、世界最高水準の高齢化率となり、世界のどの国もこれまで経験したことのない超高齢社会を迎えている。（…）さらに、少子高齢化に伴う人口縮減に対応するためには、人材が財産である我が国においては、今まで以上に高齢者のみならず、若年者、女性の就業の向上や職業能力開発の推進等により、国民一人ひとりの意欲と能力が最大限に発揮できるような全世代で支え合える社会を構築することが必要である。（内閣府 2012: 1）

結局のところ私たちの「政治」は、その統治は、人口の管理に失敗したのではないか。前章で提起したこの素朴な疑問を、あらためて本章の出発点にしたい。もちろん現代日本の人口減、高齢化、少子化を乱暴に並べて、生−政治の〝失敗〟と決めつけることが、どれほど拙速な暴論であるかは自覚している。それでも生−政治は、他の何はともかく、人口管理だけは失敗しないはずだったのではないか。それは生−政治にとって、本当に予期された結末なのだろうか。

人口は統治のまさしく最終目標として現れることになる。（…）目標は人口の境遇を改善すること、人口の富・寿命・健康を増大させることです。これらの目標はいわば人口という領域にとって内在的なものですが、この目標を獲得するために統治が手にする道具というのが本質的に言って人口なのです。（Foucault 2004a=2007: 129）

生‐権力と生‐政治の理解は、多くの先達によって精緻化されてきた[2]。フーコーが司牧的権力の源泉から新自由主義に至る過程のなかで見事に描きだしたそれは、私たちすべてを囲い込むほどに遍在していて、私たちが生命すべてを捧げてしまうほど巧妙でもあった。しかしそれほどまでも大剛な生‐政治が、もっとも重要なはずの人口総体の管理に失敗したとは、にわかには信じがたい。

この権力のテクノロジー、この生政治は、規律的メカニズムの諸機能とは非常に異なるいくつかの機能を持つメカニズムを配置させることになるでしょう。(…)死亡率を修正し、低下させなければならないでしょう。寿命を延ばさなければならないでしょう。出生率を刺激しなければならないでしょう。とりわけ、偶発的な領域を伴う包括的な人口のなかで、均衡を保ち、平均値を維持させ、一種の恒常性を確立し、補償を保証することのできる調整的なメカニズムを確立しなければなりません。要するに、生きた存在からなる人口に内在する偶発性のまわりに安全のメカニズムを配置し、生命の状態を最適化しなければならないわけです。(Foucault 1997=2007: 244-5)

あたりまえだが、私たちの目的は人口管理の責任を誰に押し付けるか考えることではないし、そもそも生‐政治に訴えたり、頼ったりするつもりもない(そもそも統治はそのような主体ではない)。それまた、人口が増えればよいと言っているわけでもない(それは生‐政治にとっても同じである)。それでも、現状を省みて、日本の人口管理は「必要かつ自然な調整が働くようにはからう」(Foucault 2004a=2007: 436)というレベルを維持しているといえるだろうか。貴重な労働力(統治の主眼のひとつである)の急減というリスクをとるほどの理由が、生-政治にとって存在しているとでもいうのだろうか。[3]

逆にこの、人口管理の失敗を、生-政治に対する私たちの〝勝利〟だと思うこともできるかもしれない。生-政治への「操行上の拒否」(Foucault 2004a=2007: 248)として、極端なことをいえば「産むことの拒否」(Dalla Costa, Mariarosa 1981=1986: 16)という意味で、この人口管理の〝失敗〟は、私たちの成果のひとつなのかもしれない。

では私たちは本当に、生-政治に勝利をおさめたのだろうか。あれほどまでの生-権力を、その統治を、敗北に追い込むことに成功したのだろうか。もし、そうだとして、なぜ私たちは、とても凱歌をあげる気にはなれないのだろうか。

生-政治の質的敗北――「生きづらさ」という〝生かしの失敗〟

たとえば三〇代のSEをしている人なんですが、その人はちょっと連絡がとれないなあと思っていたら、陸橋から線路に飛び降り自殺を図って、けっきょく命は助かったけど、全身を何カ所も複雑骨折して入院していました。仕事で過労状態になっていて、それが原因で鬱病を患っていたんです。(雨宮・萱野 2008: 9)

私たちが生－政治に対して、勝利を誇る気にとてもなれない理由は、まさに右記のような状況に直面しているからだ。つまりその〝勝利〟が、私たちにとってまったく喜ばしい状況を意味していなかったことに、気がついているからである。

私たちはこれまで、この世界に充満する生きづらさが、むしろ生－権力の強化によって引き起こされてきたと考えていた。確かにドゥルーズが看破したように、現在に至るまで私たちは、身体管理や生活管理によって拘束されつづけている（Deleuze 1990=2007）。しかしその結末が、我々を労働市場から撤退させるほどの生きづらさなのであれば、生－政治が実現しているのはあまりに愚鈍な統治だといわざるをえない[4]。

> 個々人に起こる偶発時、つまり病であろうと、あるいはいずれ必ずやってくる老いであろうと、生において起こりうることのすべてが、個人や社会にとっての危険を構成しないようにすること。要するに、こうしたすべての命令に対して――利害関心のメカニズムが個人に対しても集団に対しても危険を引き起こすことのないよう警戒すべしという命令に対して――安全の戦略が答えなければならないということです（Foucault 2004b=2008: 80）

保証のメカニズムによって、もし市場の条件が要請する場合にはいつでも何らかの雇用の候補者となりうるようなやり方で、一人ひとりが生活を維持できることになる（Foucault

2004b=2008: 255）

もちろん、フーコー自身が新自由主義分析から見いだしたように、生‐政治の中で私たちは、「危険と背中合わせに生きる」（Foucault 2004b=2008: 81）ような存在である。中にはその結果、死に絶えるものも少なくないだろう。しかしそれは、自由や競争の結果、ないしは良質な労働力として疲弊したあげくの「死への廃棄」であった。逆にいえば、労働力人口として使いつぶされるまでは、生‐政治は私たちを「できる限り危険にさらさないようにしなければならない」（Foucault 2004b=2008:81）。だからこそ、私たちの生を管理する「生かす権力」だということができたのである。

現在私たちが直面する生きづらさが、生‐権力の結果だとするならば、それは少なくともフーコーが想定していた生‐政治のありようとは、明確に異なっているのではないだろうか。良質で従順な労働力たりえようとする私たちにまで、これほど追いつめるような生きづらさは、少なくとも生‐政治の原点からしてみれば、もくろみ違いと言わざるをえない。人口減少の危機が、人口管理の量的な失敗であれば、これらの例はまさに、人口管理の質的な失敗だといえるのではないか。

ここまで述べれば、生‐政治の失敗という仮説設定が、あえて失敗をよそおっているのをまにうけているのではと、疑う向きも出てくるだろう。本章は実は、その異論に同意する立場をとっている。ただしそれは従来の、生を管理し安全をはかるタイプの生‐権力によって引き起こされているものではない。むしろそれは偽装ではなくて、生‐政治の目的変更——私たちを〈生かすことを止める〉――という、管理の放棄という局面なのだと考えた方がよい。だからこそ問題は、〈生かすことを止めた〉生‐権力に私たちが耐えられるか、という一点に集約される。これこそが、危機に直面する生‐政治じしんにとっての問題であり、危機を現出する〈生‐政治〉から出題された、私たちへの問題でもある。

生‐政治の〝転調〟――新たなる統治の機運

安全装置は第一に、当該の現象を、一連の蓋然的な出来事の内部に挿入するようになる。第二に、この現象に対する権力の対応が何らかの計算のなかに挿入されるようになる。つまりコストの計算です。そして最後に第三に、許可と禁止という二項分割を設定する代わりに、最適と見なされる平均値が定められ、これを超えてはならないという許容の限界が定められる。（Foucault 2004a=2007: 9）

こう考えてみると、フーコーが管理し調整する生‐政治の権力装置につけた、「安全装置」（Foucault 2004a=2007: 9）という呼称は、アイロニカルな意味でも卓越しているといえるだろう。もちろんここで言われる「安全」に、私たちを「安全にしている」という含意はまったくない。「安全」を問う――たいていは人口や国家の安全――ことを、統治の手段としているという部分にこそ、その真価がある。(5) したがってここで問題なのは、私たちの危機が単なる個人的な水準を超えて、集団としての人口ないしは社会の維持といった、生‐政治の統治対象そのものの「安全」の成否が問われるほどの、許容の下限に底触しつつあるという事実である。私たちに「安全」を問うことで管理していた生‐政治が、逆に私たちから「安全」を問われるという事態が到来した場合、その権力装置はどのように駆動するのだろうか。

さらにいえば、そもそも〈生かさない生‐権力〉など、ありえるのだろうか。一般的な理解に従えば、人口管理を放棄するという言い訳のきかない目的変更をおこなっているような権力は、少なくとも生‐権力の呼称には値しないだろう。しかし、フーコーが積み上げていた生‐権力と生‐政治の議論は、身体と生活を包囲する生‐権力が、そのままで、我々を生かすことへの関心を喪失するという事態を否定してはいない。むしろそれを予見していたとさえ、いえるかもしれない。実際にポスト・ビッグデータの時代にそのような統治が到来しうるか、ないしは到来しつつあるのかを、現実社会とテクノロジーの相関を素材に、思考を重ねるかたちで実験的に求めてみたい。つまり現実社会の中で、私たちの生・性・身体を鷲掴みにしながら、にもかかわらず私たちの生存や生活にまったく関心をもたないような統治がありえるのか、その可能性は、検討される意味があると思う(6)。

そのためのパーツ、すなわち〈生かさない生‐政治〉を具体化するために必要な権力装置の部品は、いくつも発見できる。「ビッグデータ」、「社会保障・税番号制度（マイナンバー）」、そして前章につづいて論じられる「介護保険制度」は、その典型例といってもよい。おそらく、そのピースを順番に羅列するだけでも、私たちの目的は達成されるくらい、その兆候はあまりにも確然としている。

3　ビッグデータ×「社会保障・税番号制度」

ＩＣＴの普及により、ライフログなど多種多様な個人に関する情報を含む大量の情報（いわゆるビッグデータ）がネットワークを通じ流通する社会を迎えている。これにより、新事業の創出、国民の利便性の向上、より安心・安全な社会の実現などが期待される一方、個人に関する大量の情報が集積・利用されることによるプライバシー等の面における不安も生じている。（総務省 2013: 259）

ビッグデータと統計学

ビッグデータとマイナンバーが、どのように〈生かさない生－権力〉の胚胎となるのか。その考察は、それぞれを詳述するまでもなく、二つの補助線を並置して、軌跡を上から眺めるだけで済むかもしれない。その補助線が、「ライフログ」と「統計学」である。

ビッグデータとライフログについてはすでに論じたが、統計学的な活用はその過程において、いくつも具体化している。もっとも著名なひとつが前章でも取り上げたAmazonのリコメンド機能だろう。Amazonで本を買うと、「この商品を買った人は、こんな商品も買っています」というお薦めが表示されたり、登録していたメールアドレスに類似のテーマの新刊本の案内が届いたりするというものである。

そのリコメンドは前章で述べたように、確かに私たちの利用履歴をライフログとして収集したものを活用している。しかしより詳細に見てみると、まだたいして本を購入していない段階から、すでにいくつもリコメンドされていたことに気づく。これは、実際には「私の記録であって私の記録ではない」ものに従ってリコメンドされているからである。私の限られた利用ログは、登録時に入力した年齢性別などの情報と共に、ビッグデータに格納される。そこには他のユーザーの情報も匿名化され、類型化されて蓄積されている。それを元に各種の統計学の技法が駆使され、私の好みを算出してリコメンドしているのである。

私たちはリコメンドサービスが、「私の生活履歴に基づいたもの」と思いがちである。しかしそれは、半分しか正しくない。実際に収集された情報は匿名化され、年齢ごと・性別ごと・身体の状態などによって類型化されて蓄積・活用される。私の情報を大量に集めて参照にしているのではなく、私という対象のために、その本人を含めたデータすべてを蓄積し分析しているという意味で、まさにビッグデータなのである。個人情報を絶え間なく記録しながら、それを個人から切り離しつつ、つなぎとめて、再度、あてはめる。それを可能にしているテクノロジーが、統計学である。

〈統計学的な私〉

生‐政治にとって統計学は、古くて新しいテクノロジーだといえよう。そもそも生‐政治の始動点から、統計学は不可欠であった。フーコー自身が繰り返し、必要不可欠なテクノロジーとして言及してきているとおり（Foucault 2004a=2007: 124等）、生 - 政治の統治は、人口を科学的に管理するための統計学の成立によって、はじめて可能になったといってもよい。

統計学は明確に、人口における安全装置の役割を果たしてきた。その内容も、フィッシャー以来主流であった標本抽出による推計統計学から（Fisher 1959=1962）、主観確率によるベイズ統計学へと展開し（鈴木・国友 1989）、より大量のデータを精度高く分析できるようになってきている。現在研究が進んでいる、ビッグデータから有意味な情報を抽出するデータ・マイニングや、その情報を解読するモデリングも、統計学の発展があってのものである。

とはいえ、ビッグデータとライフログがその対象になったからといって、統計学の手法が明確に変わるということはない。変わるのはその内容ではなく、統計分析の対象である。対象が人口＝集団から、ライフログ＝個人になったことで、同じように統計学的に正しい結果が出されたとしても、その意味が異なってくるのである。集団から生まれたビッグデータから、その集団である人口を予測することと、集団から生まれたビッグデータから、ある特定の個人を予測することの差について、考えてみたい。

先ほどのAmazonのリコメンドの例を振り返ってみよう。リコメンドが想定している対象は、確かに私だったが、そこで算出されたのは厳密には私ではない。ビッグデータをマイニングして、モデリングする中で描かれた〈統計学的な私〉である。ビッグデータと統計学がつなぐシステムのアウトプットは、〈統計学的な私〉の算出なのである。

〈統計学的な私〉は、現在の私を仔細に調べたものではない。現在の私から生まれたものではないが、現在の私にきわめて精密に近似されている。統計学の知識がない人が、私の行動や好みを完全に知ろうとした場合、おそらく私にかんする情報――私の過去も、そして私の未来も――その大半を知り尽くそうとするだろう。そのような、おどろおどろしい常時監視は、統計学的には必要ない。私についての必要最低限の情報が集められれば（しかもその必要量を可能な限り少なくするのが統計学の使命でもある）、私の選好も類推計算できるし、私の将来とる行動も予測計算できる。その産物が〈統計的な私〉なのである。

〈統計学的な私〉は、もしかして私自身よりも、私のことについてよく知っているかもしれない。実際のところ私たちは自分について、驚くほど自覚できていないのが常である。それゆえライフログは、「実はあなたはこんなものが好きだったんですよ」と教えてくれ、私たちはちょっとした驚きともに受け取ることになるだろう。私について調べ続けているライフログは、〈統計的な私〉の予測精度を上げるだけではなく、私以外の他の参加者の将来を予測するのに活用される。私についてたいして調べていないのに、私について誰よりも把握しているというのが、〈統計学的な私〉の理想であり、めざすものだ。私のうちにある選好・欲望・ニーズといったものでさえ、必ずしも私に依存せず、別に収集した外在的なデータベースから推測することができるというのは、実際のところ、革新的なテクノロジーの進歩だといえよう。(7)

実際にこのシステムの精度が増せば、それはフーコーのいう「パノプティコン」より恐ろしいと思う人がいるかもしれない。一望監視はあくまで現時点の空間的なものであったが、ここで可能になるのは、実際に監視行為をしていなくても、かつての行動の類推からはるか未来での選択までが予測可能な、「過去と未来を一望監視下におく」ようなシステムに見える。しかしながらそれは、確実に杞憂だといえる。ビッグデータを活用するシステムは、そのような大げさな発動はしないし、〈統計的な私〉も、そのような悪用はされない。それはもっと愛らしく、もっと私たちにぴったり寄り添って作用するだろう。なぜならその道程に、「マイナンバー」という制度が配置されているからである。

社会保障・税番号制度（マイナンバー）

間違えてはいけないのは、統計学によって私たちの〈生〉が記述されることに、いささかの問題もない点だ。統計学はあらゆるものを描写しうる、人類の叡智のひとつである。それが私たちの〈生〉を集めたビッグデータによって、生存資源の分配を算出する——生 - 政治の転調をもたらすゆえに、看過できないのである。その過程を説明するためには、情報技術を、具体的な「生」の統治の問題に接続させるレセプター・受容器官が必要になる。社会保障・税番号制度（マイナンバー）という制度を配置することで、やっと、生 - 政治の〝転調〟に繋がる、薄いながらも消すことのできない軌跡を浮かび上がらせることができる。

マイナンバーというよりも、旧称の「税と社会保障の共通番号制度」と呼んだ方が意味をつかみやすいかもしれない。二〇一三年五月に「番号関連四法」が国会で成立し、私たちは二〇一六年から無事に「番号をもって正しく生きる」世界に存在するようになった。もっとも、それ以前と以後とで、ほとんど世界は変わっていないと感じる。実際のところ、マイナンバー制度によって面倒になったのは、給料をもらったり新たに行政からサービスを受けようというさいに、時々番号を聞かれたり関連書類を提出させられる程度だと感じている人も多いだろう。マイナンバーカードの取得率は全国でやっと一割だし（二〇一八年七月現在）、政府が運用するオンラインサービス「マイナポータル」など見たこともないという人が大半だろう。このようにこれまでマイナンバーは、普及率や「行政の効率化」「管理のセキュリティ」あるいは「プライバシーの保護」という点ばかりが語られ（森田ほか 2012 等）、ある意味、軽んじられてきた。脱税も反体制活動もしていない平凡な私たちには、積極的に反対する理由も、興味を抱く動機もなかった。しかしこの制度の意味は、そのようなかたちで、つまり目に見えるわかりやすいかたちでは表出しない。むしろ、そうと気がつかないうちに駆動してしまう潜在機能の方にこそ、その核心があるといえる。それはたとえば、着々と改正マイナンバー法（二〇一五年）が施行され（二〇一七年）、それが数年のうちに預貯金口座に付番されたり、特定健診などの医療等分野で連携されるという内容であったり（総務省 2015）、各番号のポータルサイト（マイナポータル）が、あなたに「ぴったりサービス」を搭載したり（内閣官房 2019）といった軌跡であらわれる。マイナンバーは、現状の「単なる行政手続き上の番号統一」をはるかに上回る壮大な目標と残酷な使命を、その内に秘めている。私たちの単なる実感よりもむしろ、改正マイナンバー法と同時に改正された個人情報保護法が、「個人が特定できないよう加工すれば本人の同意なしに情報を第三者に提供できる」といった動きの方が、マイナンバーの価値を正確にあらわしているのだ。

そもそもマイナンバーがめざすものは、番号（利用）法の根拠となった「社会保障・税番号大綱」にはっきりと明記されている。

> （…）番号制度の活用により、所得情報の正確性を向上させることができ、それをベンチマークとして、社会保障制度や税制において、国民一人ひとりの所得・自己負担等の状況に応じたよりきめ細やかな制度設計が可能になり、ひいてはより適切な所得の再配分を行うことができるようになる。（政府・与党社会保障改革検討本部 2011: 4）

納税は国民にとっては義務であるが、統治主体である国家にしてみると「収入 income」であり、いわば売上そのものである。一方で社会保障は、国家にしてみれば「支出 cost」であり、いわば経費に近い。これまで国家において、国民一人ひとりの収支、つまり誰がどれほど国家に払い、誰がどれほど国家から受け取ったかは、それぞれ異なった制度下で区別して管理されてきた。「税と社会保障の共通番号」は、その収支の統合を、つまり「国民一人ひとりのコスト・パフォーマンス」の算出を、可能性だけでいえば実現しうる制度だといえる。

このような可能性だけでも、衝撃的なポテンシャルを秘めているといえるかもしれない。しかし、まだ私たちは、安心してよい。おそらく事態は（おそらく国家財政が崩壊近くまで逼迫しない限り）そこまで露骨に「国家にとっての私たちのコスパ」を、直接算出する方向には動かない。しかもその理由は二つもある。ひとつめは、現行の法制度は慎重にその可能性を外し、倫理的に問題がありそうな利用を禁じているからである（内閣官房 2013）。それでも、法制度を後から改正すれば可能になりうる、という心配もあるかもしれない。実際に改正マイナンバー法の預貯金口座との紐付けは、きな臭い空気を感じさせもする。しかしそれでも「私のコスパ」は算出されないと断言できる。なぜならマイナンバーの最終目的は、そんな低いレベルにはないからである。

マイナンバーの〝残酷な使命〟

二〇一五年に成立した改正マイナンバー法および改正個人情報保護法は、二〇一七年から施行された。個人情報保護法の改正は、個人を特定できないよう加工すれば本人の同意なくビッグデータとして活用できるようになるという、予定どおりビッグデータ社会を仕上げるかのようなものだ。しかし改正マイナンバー法は、マイナンバーを典型例とする各種の制度が、パーソナルデータをどのように利活用していくのかという方針そのものを具現化しているといえよう。なぜなら、その改正点そのものが、あらかじめ予見されていたような（柴田 2014）、生‐政治の〝転調〟そのものを透写しているからである。

二〇二〇年は、このようなマイナンバー制度にとって、メルクマールとなる年となるはずだ。おそらく、本章の思考実験を実証してくれる最初の例が、消費税率引き上げの対応策として二〇二〇年に予定される、自治体ポイントの実施に、マイナンバーカードが使われるケースとなるだろう（内閣府 2019: 35）。まさに「マイナンバーカードを活用したキャッシュレス基盤の構築」（内閣府 2019: 35）であり、実際にそれが、ビッグデータ社会プラットフォームとしての装いを確立しようという端緒そのものだからである。忘れてはいけないのは、このように近年の改正が、マイナンバー制度を、どのように進化させていこうとしているのかという点だ。その重点化は主として以下の二点にまとめられる（内閣官房 2019）。

1）マイナンバー制度の普及促進

・マイキープラットフォームの拡大。（マイナンバーカードの図書館での利用、自治体ポイントを付与しての商店街での利用）
・マイナンバーカードと健康保険証の一体化。
・マイナポータルにおける「ぴったりサービス」「お知らせ機能」の拡充。（利用可能サービスをリコメンドするプッシュ型サービスの拡充。子育て関連から開始）
・マイナポータルのＡＰＩ提供。（新たな行政・民間サービスで活用可能に）
・デジタル・ハローワーク・サービスの推進。（求職活動および雇用保険に対応）

2）マイナンバー制度における情報連携の推進

・預貯金口座との連携。（税法の改正にあわせ、銀行・郵便局が口座情報と連携させ、マイナンバーをキーとして検索可能に）

・介護保険・障害者支援制度・生活保護との連携。（申請者の収入状況調査、課税情報の照会や、受給状況の把握の効率・高速化）

・年金、健康保険での連携。（厚生年金法、国民年金法の改正とあわせ、税務調査や社会保障制度による資力調査としても可能に）

・医療分野の情報集積と利用拡大。（乳幼児健診、特定健診や、予防接種情報の連携）

・罹災証明書や予防接種（新型インフルエンザ等）の交付事務。

……など

このように列挙していくと、マイナンバーという社会保障と税の情報を一体して利活用するプラットフォームが、私たちの生活、〈生きる〉場面の基底部に、予想以上に着実に浸透しつつあることを実感できるだろう。しかし重要なのは、現在どのように使われているかではない。その情報管理が安全かどうかでもない。それが今後、どのように使われうるか、「最善かつ最適に」活用されることで、私たちの〈生〉をどう変容させようとしているのかなのだ。

マイナンバーの利活用が、マイナンバーがそれまで構想されてきた「国民総背番号」なるものと本質的に異なる点が、この執念に凝縮されている。そもそも社会保障は、私たちの生命や生活に必要な社会的資源を再配分する役割を担っている。これまで、私たちが必要とする社会保障サービスは、児童福祉から健康保険・雇用保険・介護保険・年金と時期や状況によって様々であった。それを統合した社会保障番号でもあるマイナンバーは本質的に、私たちに資源を配分する社会保障制度そのものを統合する契機をはらんでいる。

他方、マイナンバーというテクノロジーは、その気になれば納税だけではなく、支払った保険料・自己費用、そして診察記録や健診記録も格納可能である。身体や生活にかんする属性情報と、現在存在している社会保障資源の配分とを紐付けし、共通化するからこそ、「プッシュ型サービス」が可能になるのである。スマホでマイポータルをみると、私の所得や健康情報をふまえた上で、私に最適な福祉・医療サービスのすべてが、メニューとなってリコメンドされている。「これがあなたの最善です」として国家に推奨された福祉・医療を、無視する勇気が、私たちにあるだろうか。

もっとも、これらの属性情報と資源配分は、直接にはリンクされていない。そのためプライバシーの侵害も個人情報の目的外流用も、そこには存在しない。属性情報は匿名化されて、ビッグデータのようなかたちで蓄積され統計分析されて、医療や福祉の制度設計・政策立案・予算配分に活用されている。一方で、リコメンドされるサービス・資源は、該当する個人とはまったく別に用意されている。そこでは過剰な監視などはまったく必要なく〈統計的な私〉が算出され、それにあわせて支援がリコメンドされているだけである。

それゆえ要点はむしろ、私の個人情報と私が受け取るサービスが、つながっているように見えて実は切断されているところにこそある。それを架橋するのが、現在、生‐政治の権力装置として研ぎ澄まされつつあるビッグデータと、そのマイニング・モデリングのための統計学である。「きめ細やかな社会保障制度」本体は、むしろこちらの方だったとさえいえるだろう。

だから私たちは、完成された権力装置と比べて未だ可愛らしい容貌をしたマイナンバーを、見くびったままでいてはならない。私たちの「不健康な生活を正してくれる」特定健診との連動も、私たちに適合したものをリコメンドしてくれる「ぴったりサービス」の始動も、それがナイーブで無力でかつ未完成なのは、それが単なるレセプターにすぎないからだ。しかし重要なのは、レセプターが用意されたという事実の方なのである。どんなに洗練されたテクノロジーであろうと、社会に実装されるためには受容器官が必要になる。現行法下では規制だらけのマイナンバー制度は確かに無力だが、(8) レセプターとしてはほぼ完璧な可能性――制定者も運営者もまだ気づいていない潜在力――を備えている。

マイナンバーは、各個人の医療・介護情報、そして生活にかかわる情報の結節点を用意した。これをビッグデータとして機能させない未来の方が、想像しえないだろう。その情報は仮に匿名化されても、むしろ匿名化されて集積されるからこそ、考えうるもっとも巨大で有用なビッグデータとなる。他方で、ますます切磋琢磨され進化し続ける統計学は、ＡＩなどの力をかりて私たちに次々と正確で適切なモデルと、それに基づく資源分配を計算してくれる。私たちの生命と生活の情報を収集し、分析して、私たちの生存と生活に必要なサービスを列挙して分配するような制度設計は、すでに約束されているのである。

だからマイナンバーの使命は、それぞれ別々に構想されるパーツ――「生命や生活などの、私たちの生存にかんする情報を収集すること」「それぞれを私たちから切り離し、総体として蓄積すること」「〈統計学的な私〉を算出すること」「〈統計学的な私〉に合致した社会保障サービスを算出し、リコメンドすること」を、まとめて受容し、相互に参照できるようにすることにある。

その結果として、私たちひとりひとりの身体・生活に合わせた社会保障サービスが、やさしく丁寧にリコメンドされる時代が到来する。その時を迎えた私たちは、おそらく有史以来、これほど権力に〝愛された〟ことはなかったように感じるに違いない。しかしこの未来像は、起こりうる生－政治の半分しか描けていない。この未来像で機能している権力装置の本質は、私たちを〝司牧的な愛〟で包み込み、管理することにはない。それはある特定の条件下では、私たちの生存にとって、もっと残酷なかたちでもたらされうる。

そう断言できる理由は、すでに〈生－政治〉のプリテストに類するものが実施されていて、その現状が全く異なっているからである。なぜ、このような回りくどい道程をたどっているのか。その理由は、きたる〈生－政治〉に捧げられた〝生ける実験装置〟とでも呼ぶべき、介護保険制度が教えてくれるだろう。

4　生け贄としての介護保険制度

ニーズの〈擬制〉

日本の福祉制度、特に介護保険制度は、その設立時から常に「福祉の危機」の最前線だった。制度施行と同時に直面してきた経済・人的資源の枯渇がその主因で詳細には後述するが、だからこそこの制度は前章で述べたように他の福祉・社会保障制度に先んじて、情報技術との親和性を備えてきた（柴田 2014）。しかし介護保険が、もともと高度な情報処理システムと巧緻な科学性・統計学を、将来にわたる命綱としてきた事実は、未だに膾炙しているとはいえない。

二〇二〇年は、このような介護保険にとって、メルクマールを迎える年となるはずだ。介護保険最大のデータベースＣＨＡＳＥ（Care, Health, Status & Events）が本格運用される予定年だからである。もともと介護保険は、「介護保険総合データベース」や、「通所・訪問リハビリテーションの質の評価データベース」（Monitoring & Evaluation for Rehabilitation Services for Long-term Care, VISIT）などを運用してきた。それを補完し連携を深めるものとして二〇一八年度から、介護保険サービスの内容はもちろん、利用者側の身体や精神の状態とその変遷全体をデータとして収集して蓄積し、分析・評価できるようなデータベースを整備している（厚労省 2018a）。それによって、介護保険におけるサービスの効果、質、そしてその量の適切性を判断し、科学的な介護を実現するのが目標である。その本格運用年度が、二〇二〇年なのである（厚労省 2018a）。

現在のところ、CHASEは、利用者の日常生活動作（ADL）、認知機能、バイタルサインなどの「状態情報」、各種介助・服薬・リハビリ、各種指導などの「介入情報」、転倒や発熱、褥瘡などの体調異常、入院・在宅復帰などの変化、そして三％以上の〝異常な〟体重増加などの「イベント情報」を格納し、比較可能にするとともに、データを統計処理して活用可能としていくことがめざされている（厚労省 2017a）。

CHASEによっていよいよ介護保険は、私たちの日常的な介助生活の総体をデータ化し分析可能にする機能を備えることになる。日常生活に密着した、これ以上のビッグデータは、当面存在しないかもしれない。それを万全に利活用しようという「介護の科学化」は、統計学を駆使し介護生活の適正度を評価する黎明期をもたらすだろう。まさに二〇二〇年は、ポスト・ビッグデータ時代の「夜明け」が告げられる年といえるのかもしれない。ただしその「夜明け前」から、すでに介護保険は本質的に、ポスト・ビッグデータの払暁《ふつぎょう》を示すシステムを、その「糸口」の部分から装備していた。その典型例である「要介護認定」については前章でも触れたこともあって、ここでは最低限の整理にとどめるが、それでも十分、その異様な抑制をうかがうことができるだろう。

「要介護認定」は、介護保険の利用者すべてが受けなければならない。介護が必要になってサービスを受けたいと思った時に、「認定調査員」が自宅にマークシートをもってやってきて、自分の生活状況にかんする調査を受けることになる。その結果がコンピュータによる一次判定にかけられ、介護認定審査会での二次判定を経て、要介護度が算出される。要介護度によって、「どのサービスをどれくらい受けられるか」が決まってくる。

一次判定のコンピュータシステムは、訪問調査の項目ごとに選択肢を設け、調査結果に従い、それぞれのお年寄りを分類してゆき、「一分間タイムスタディ・データ」の中からその心身の状態が最も近いお年寄りのデータを探し出して、そのデータから要介護度等基準時間を推計するシステムです。この方法は樹形モデルと呼ばれるものです。（厚労省 2009b: 2）

「一分間タイムスタディ」とは、特別養護老人ホームや老人保健施設などの約三四〇〇人の入所者を対象に、四八時間の間、一分間ごとにサービスを数えあげたものである。そのデータを元に「樹形モデル（旧・樹形回帰モデル）」（関・筒井・宮野 2000）を統計学的に作成する。それによって、利用（希望）者の「要介護等基準時間」が推計される。「要介護等基準時間」は一分間タイムスタディの調査時に要した介護時間そのものだが、その時間がそのまま利用者の要介護時間になるわけではない。

要介護認定の一次判定は、要介護認定等基準時間に基づいて行いますが、これは一分間タイムスタディという特別な方法による時間であり、実際に家庭で行われる介護時間とは異なります。この要介護認定等基準時間は、あくまでも介護の必要性を量る「ものさし」であり、直接、訪問介護・訪問看護等の在宅で受けられる介護サービスの合計時間と連動するわけではありませ

ん。（厚労省 2009b: 3－4）

ここまで述べてきただけでも「要介護認定」が、驚くほど前節のシステム――ライフログ・ビッグデータ・統計学――の相似形になっていると、思いあたるだろう。「認定調査員」の調査データがライフログの一種だとすると、「一分間タイムスタディ・データ」というビッグデータの一種による樹形モデルから、「要介護認定等基準時間」を推計するのが統計学の役割になる。「要介護認定等基準時間」は、介護に要した時間として厳密に算出されるが、その時間がそのまま利用（希望）者の要介護時間になるわけではない。なぜならその時間は、「一分間タイムスタディ」という施設を対象にしたものであり、介護の質や量はその調査の外にある要因――在宅か施設か、地域性、時には時代性――によって変わってくるからである。それゆえそれは、あくまで介護に必要性を相対的に推計するための〈規準〉にすぎないことになる。

次に、利用者ごとに算出された「要介護認定等基準時間」を、要介護の区分表と対応させて決定するのが、利用者の「要介護度」である。さらに実際にどれくらい介護保険のサービスを受けられるのかは、自分の「要介護度」と「区分支給限度単位」の表を見比べないとわからない。七つある要介護度のカテゴリごとに、「支給限度単位」が決まっているのである。原則としてそれに一〇を乗じたものが「区分支給限度額」つまり「介護報酬額」の上限となる。ということは最終的に、毎月の受けられるサービスの金額上限――毎月、いくらぐらい介護サービスを利用できるのか――として、算出されるのである。

要介護認定のシステムは、およびそこから推計された要介護度は、まったく〝正しい〟。要介護認定を受けた利用者が、その制度の中で介護が必要なほうか、不要なほうか、その位置づけを正確に算出されているからである。それにもかかわらず要介護認定は、その導入時より激しい批判にさらされ（沖藤 2010; 柴田 2014 等）、幾度もの再検証と改善を迫られてきた。その理由は、要介護認定による支給限度額、つまり利用できるサービス量と、実際に介護している人、さらには受けている本人の実感とが、往々にして乖離しているからである。

そもそも「ニーズ」がどこに由来するか、という観点で読み解くと、その乖離の原因が理解できる。本人や介護されている人にとって介護の必要性およびその量は「自分の生活（時には生存）に必要な支援およびその量」でしかないという意味で、目の前に明らかに存在している（立岩 2009）。あたりまえのことであるが、本人のニーズは本人の中にしか存在していない、きわめて内在的なものであるし、その積算として自覚されているだろう。しかし介護保険の場合、要介護度は、前述のシステムによって決定される。つまり私のニーズは私に由来しているように見えながら、実際には私とはまったく別人のデータセットから推計された〈統計的な私〉に由来する要介護認定によって、その上限が設定されるのである。その推計された「あなたの生活（時には生存）にとって必要な介護およびその総量は、このとおりです」というリコメンドが、主体の生存を本当に支えるに十分かどうかは、個人によって異なり、目安にすぎない。

要介護認定が実現しているのは、「ニーズ・必要性・求めるもの」といった、そもそも主体の内部に存在しているものを、別個に蓄積された情報を元に推計し算出するというかたちで、いったん切り離し、再び還元させるという、これまでにないテクノロジーである。重要なのは、内在的なニーズと、新たに推計されたニーズの、どちらも〝正解〟であるという点である。主体にとって内在的なニーズが正解なのは当然だが、推計されたニーズも統計学によって「正しく」算出されたものであって、瑕疵も悪意も全くない。よって介護保険制度においても、要介護度は本人のニーズとみなされ、つまり〈擬制〉されて扱われる。

これまでは、ニーズは個人の欲望に影響された、主観にまみれたものだと批判されてきた。しかしその批判は、算出された〈擬制されたニーズ〉の方が正解であるという前提に基づいている。むしろ内在的な主観が入る本来ニーズよりも〈擬制されたニーズ〉の方が客観的で、正しく必要量を示しているとして、優位に扱われるようになっている。もっとも、本来ニーズと〈擬制されたニーズ〉のどちらが正しかったかという結論は、実際に「生きられて」みないとわからない。まさに本人の生命と生活によって示されることになる。

サービス総量の〈擬制〉

しかしながら、本来のニーズと〈擬制されたニーズ〉は、そもそも合致していなければならない。そもそも本人のニーズを正しく判定するために、介護保険は、膨大な支援データと巧妙な統計モデルとを実装したはずだからである。それでは、なぜ本来のニーズと〈擬制されたニーズ〉の乖離が起こってしまうのだろうか。

ここで思考実験として、利用者の本来ニーズと、利用者にとって〈擬製されたニーズ〉の分布図を描いてみるとすると、〈擬制されたニーズ〉は正確に推計されているはずなので、その分布図はほぼ同じかたちをしていると想定できる。「誰がどれくらい平均より多く（少なく）配分されるか」も正確に推計されているので、分散σの値をとってもほとんど同じかもしれない。しかし、平均値μが同じである保証はない。本来ニーズの平均値μは実測値から算出されるだろうが、〈擬制されたニーズ〉の平均値μ'は精緻なシステムの計算結果ではなく、区分支給限度額の設定によって左右されるからである。(9) つまり〈擬制されたニーズ〉の正しさは、分配の正しさを保証するものではあるが、その絶対量の正しさとは切り離されている。その乖離を埋めるロジックそのものが、そこには欠けているのである。

一方で私たちは、まったく異なったシステムから、〈擬制されたニーズ〉の平均値を、正確に知ることができる。それは「受給者一人当たり費用額」として金額で算出されていて、介護給付費実態調査によって月ごとにまとめられている（厚労省 2014）。つまり介護保険は、私たちのニーズの平均値を、さらにはその総量を、私たちのニーズとは切り離されたところで、外在的に算出し制御するシステムを持っているのである。

それでは、私たちの介護サービスの利用量は、結局どのように決まっているのか。むしろ介護保険という制度の労力は、そのサービス量の設定と管理に傾斜して注がれているといってもよい。毎月の個人の上限ということであれば「区分支給限度額」に規定され、それは社会保障審議会（介護給付費分科会）の答申によって、厚生労働省令で決定されている。一方で、自分が住んでいる地域（日常生活圏域）での介護サービスの総量（これがないと、支給限度額に余裕があってもサービスがないということもありえる）、つまり総事業費は、介護保険を運営する主体（市町村など）が定める「介護保険事業計画」によって決まっている。

「介護保険事業計画」の制定のさいにも、驚くほどの規模で情報システムと統計学が駆使されている。そこでは日常生活圏域ごとの独自のニーズ調査もでき、それを集計・分析する「生活支援ソフト」が厚労省から提供されていて、その結果は「介護保険総合データベース」に送ったり、保険者・地域間でのベンチマークをおこなってもらったりするサービスもある（厚労省 2014: 134）。「厚労省行政総合情報システム」の「介護政策評価支援システム」は、自分の自治体の要介護認定のバランス――全国平均と比べて認定率が高すぎたりしないか――や、サービス利用のバランス――近隣自治体と比べて突出して使われているサービスはないか――などもわかるようになっている（厚労省 2014: 134）。CHASEは、こうした情報システムの統合版および完成版として構想されているものであり、まさに介護保険のビッグデータ化、つまり本書でいう「ポスト・ビッグデータ社会」のメインプラットフォームとなるよう運命づけられているのだ。こうしたビッグデータと統計学を生かした分析を積み重ねて、各自治体は「介護保険事業計画」内で総事業費――つまり、私たちの介護資源の総量――の見込額を求めていく。さらには、下記のような長期的視点まで、市町村は考慮しなければならない。

（…）いわゆる団塊の世代が後期高齢者となる二〇二五年のサービス水準、給付費や保険料水準なども推計し、市町村介護保険事業計画を立案する。（…）この推計は単に将来の推計を行うだけでなく、第六期におけるサービスの充実の方向、生活支援サービスの整備等により二〇二五年度の保険料水準がどう変化するかを検証しながら設定することを期待するものである。（厚労省 2014: 121）

介護サービスの総量は、このような様々な観点とシステムから決定される。その最終兵器ともいえるのが「介護給付適正化事業」であろう。その内容は前章で詳述したが、全国平均と比べて認定率が高かったり、居宅サービスの利用者数が突出していたりする地域を分析して明らかにし、「適正化対策」という規制をしていく。その様相は、介護保険におけるサービス量の正当性が、内在的なニーズの積み重ねではなく、他との統計比較などで外在的に判断されていることの、まぎれもない証左といえるだろう。

ひとつひとつが統計学の偉大な成果とも呼びうる、綺羅星のような介護保険の情報システムの充実ぶりに、しかし私たちは眩惑されていてはいけない。そもそも介護保険制度は、何のためのものであったのかを考えると、明らかに主客が転倒していることがわかる。介護保険は支援が必要な主体に対し、必要な支援をおこなうものであり、本来、私たちのニーズを満たすために存在している。さらに、介護保険が担っているのは、支援がないと生活の、そして生命の危機に直面するという、〈生きるため〉ために不可欠な支援なのである。[10]

〈擬制〉されているのはニーズだけではない。本来、必要性の積算によって内在的に決定されるはずのサービスの総量も、また〈擬制〉されているのである。生活と生存に必要な資源の総量も、外在的にしかし〈適正〉に〈擬制〉するテクノロジーが、ここに誕生している。

限られた資源の分配装置としての介護保険

問題は、それぞれの制度やシステムの内部にはない。それぞれが不正確なのではなく、正確であることが問題なのである。それぞれが独立に稼働し計算していること、にもかかわらずその結果が同じものとして接続されていること、それが連関し生存資源の配分を司る装置として立ちあらわれていることが、問題を生み出している。そしてさらに深刻なのは、その生存資源が枯渇しつつあって、分配量が生存の下限に触れつつある点、ないしは「枯渇した」と社会的合意が成立した点にある。

サービス量が〈擬制〉的に制限されている理由は、極めて外在的で、かつ平明である。介護保険にまわせる予算が、資源が決定的に不足しているからである。もし潤沢に資源が存在しているなら、本来ニーズの積算総量と、事業計画の見込量とを一致させればよい。というよりも、それが「生存のための資源」であればなお一層、そうでなければならない。しかし、それが不可能な時代を迎えつつあるのである。

介護保険という制度は、三年ごとにカンフル剤を打つかのように改正を続けている。二〇一七年の改正で重視されたのは、「地域包括ケアシステムの深化・推進」というタイトルのもと、「高齢者の自立支援と要介護状態の重度化防止、地域共生社会の実現を図るとともに、制度の持続可能性を確保することに配慮し、サービスを必要とする方に必要なサービスが提供されるようにする」（厚労省 2017: 1）などであった、保険者である全市町村が、「データに基づく課題分析と対応」「適切な指標による実績評価」そして「インセンティブの付与」を法律により制度化した（厚労省 2017b: 2）。

なぜ、介護保険制度は、七転八倒しながらも、その命脈をながらえているのだろうか。むしろなぜ、より精緻化されて確固たる社会維持システムとなるべく、社会の資源と科学の総力を挙げて改修され続けているのだろうか。

制度開始当初の第一期に二九一一円だった介護保険料は、二〇一八年以降の第七期には倍を超える五八六九円となった。当初四兆円未満だった単年度の給付総費用額は一〇兆円を軽く超えるようになり、制度の持続可能性が問われるまでになってきている（厚労省 2018b）。怨嗟とでも呼ぶべき声が利用者だけでなく、ケアマネージャーやヘルパーなどのサービス提供側、さらには制度運営を担当する行政職からさえも流れている現状を振り返れば（上野・立岩 2009 等）、介護保険が、洗練された「生‐権力」の一部であるとは、とても信じがたいかもしれない。

二〇一八年の介護保険の総事業費は一一兆を超えたが、そのうち半額は税金によって負担される。しかも毎年一割から二割程度増える計算で、その金額は年々、増加の一途をだとっている（厚労省2018b）。日本の国家財政のなかで社会保障関連の経費がどれほどの割合を占めるのか、それを補うために毎年、税収と同額にのぼるまでの国債がどれほど発行し続けているのかについては、もはや触れる必要もないだろう。実態的にも、ないしは〈擬制的〉に偽装されたとしても、「生存資源の枯渇」は現実に到来しうるのである。

実際に、現行の社会保障制度そのものが、持続性の危機に直面している。その支柱たる介護保険は、その最大の原因でもある。介護サービスの量は、この「制度そのものの破綻」という危機感の影響を、大きく受けているのである。しかしながら、社会保障費は簡単に減額できるものではない。そもそも「生きる」のに必要な「生存資源」であり、その総量は絶対的に決まっている。絶対的に決まっているものを〈擬制的に〉満たし、符節を合わせるための装置の必要性が、ここに浮上する。

高齢者の生と生活を司る介護保険を、生‐権力とみなした場合、それは〈擬制されたニーズ〉と〈擬制された総量〉とを一致させるというかたちをしている。〈擬制〉されたニーズも〈擬制〉されたサービス量も、主体の生存内部からではなく、外在する根拠——予算の制約や人材の不足——によって決定されている。それは私たちを生かすための資源を、私たちが生き残れるかどうかとは切り離して、しかし〈適正〉に配分されているように見せかける装置として作動しているのである。

介護保険がそのような装置に成り果ててしまったのは、純粋に「介護保険にまわせる資源が著しく不足しているから」という理由に絞られる。元々、介護保険は「介護福祉を利用者主体で選択できるようにする」という高尚な理想のもとに導入されていた。その理想に偽りがあったわけではない。しかし、高齢人口の増加によって利用者が年々増加する一方、総事業費は厳しく抑えなければならなかった。介護ニーズにたいして、その絶対量が不足しつつある状況下にあるからこそ介護保険制度は、意図せざる「極限状態にある生存資源の分配」という挑戦を強いられ続けているのである。

介護保険が見せている情報システム・ライフログ・統計学の駆使は、まさにこの状況下で、それぞれがどのような装置として連携し、どのような役割を果たすのかを物語っている。それら情報技術が〈適正化〉をとおして、個人の利用の〈自粛〉というかたちで「需要を抑え込む」論理は、前章で論じた。本章で論じているのは、その対面として、〈適正〉に「供給を絞り込む」という論理である。この両面は現在、介護保険に典型的にみられるが、そこにとどまるものではない。「限られた生存資源の分配」装置としての駆動は、ポスト・ビッグデータ社会において、より巨大にかつ精緻に私たち全体を取り込み、そしてマイナンバーを経由して広範に拡散しうるだろう。その意味で介護保険は、新しい〈生‐権力〉装置が作動するための、実験台として捧げられているといえるかもしれない。犠牲になりつつあるのは、介護保険の理念であり、利用者の生活と生存の未来である。

5　生かさない〈生‐政治〉の誕生——限られた「生存資源」の分配問題

「生存資源」の分配

介護保険が、ビッグデータとライフログの統計学的活用を、ほぼ先取りするような相似形を描いていること、そしてそれが、限られた資源を〈適正〉に分配する装置として機能していること、この二点を読み解くことができれば、私たちが注意深く留保してきたマイナンバーの真価を、やっと理解することができるようになるだろう。「身体と生活の情報をライフログとしてモニタリングすること」「固有の生存の表象であるその結果を、ビッグデータとして匿名化して蓄積すること」「そのビッグデータを集合総体とみなし、〈統計的な私〉をモデル化すること」「〈統計的な私〉を元に、社会保障サービスを配分すること」は、個別に検討されてはならない。それぞれが連結されてはじめて、装置として起動するのである。

社会保障制度と税制度に共通番号を用意して運用するということは、とりあえず番号だけ突合していくという意味でも、社会保障と税制とを一体化して管理するという意味でもない。income は income で持続可能に運用し、cost は cost で最適に運営するシステムを、別個に構築する。一体化するとあっという間に破綻してしまうが、まったく切り離して運営すると、それぞれの正当性が保てない。そこで繋がっているとし、ないしは見せかけて扱い、恣意的に同期できるように——つまりそれぞれの制度にとっては外在的に——制御されるのである。

介護保険給付費の財源は、私たちが直接ないしは医療保険（健康保険）を経由して半分を負担し、残りを自治体、そして国庫が分けあっている。そのいずれが臨界点に到達しても、支援の必要性ではなく、「お金の都合」によってサービスの量と質がきまる装置が発動する契機となりうることは、容易に想像できる。それは本来、〈生きる〉ことの支えとしては決して正当化されるようなものではない。しかし私たちは目の前の番号が、私たちの払う税金額と、私たちの受け取る社会保障サービス量を、〈擬制〉的に繋いでいることを自覚しなければならない。私の納税額や健康保険料は、私が社会保障を〈適正〉に受け取れるように上昇し続ける。一方、私の受け取る社会保障サービスの種類と量が、自らの生存に底触するほど極限状況に抑えられたとしても、私たちは求められた税金や保険料を払い続けなければならない。それぞれは〈適正〉に算出されていて、しかもその支出は自分が受け取るために、その受益は自分に見合ったものであるかのように、見せかけられているからである。

この事態は「私のコスト・パフォーマンス」よりも、たちが悪い。コスト・パフォーマンスであれば、少なくとも支払った分の受け取りは主張できる。しかし〈適正さ〉は別々に算出されていて、それぞれはそれぞれで正しいが、その両者は私とは切り離されつつ同期している。〈生きる〉ことの支援を、「お金の都合」でいかようにも制約しうる制度を、科学的に正当化するという魔術は、ここに成立するのである。

マイナンバーはその意味で、ビッグデータと統計モデルによるリコメンドの決定というテクノロジーを、「生存資源」――私たちが生命と生活を保つために必要な資源と、それを形成し共有するためのコスト――に結びつけるための、導線でありレセプターであるといえるだろう。つまり、介護保険が見せているような「分配装置の駆動」を、国民全体に対して広範に、しかも生活のあらゆる部分に遍在化させるという役割を果たすようになる。

もちろんこれはあくまで、ひとつの可能性にすぎない。マイナンバーという制度が、介護保険と軌を一にしないという未来も、もちろん高い確率でありえる。しかしそのためには、その権力装置の駆動条件――税収も社会保障経費も限られないこと――を満たさなければならない。社会保障費に最大限配分してもなおも潤沢に余裕がある財政か、極限まで切り詰めることができ、なお未来永劫、増加し続けることがない社会保障のどちらかが実現できれば、マイナンバーの役割も、せいぜい「ちょっとお得な国営ポイントカード」程度で収めることができるだろう。しかしそのどちらかが果たされなければ、つまり税制の限界か、社会保障の限界のどちらかが予見された瞬間に、マイナンバーは秘めていた〈生 - 権力〉の装置としての機能を発動する。

それが今もなお、生 - 権力と呼べる理由は、それが掌握しているのが、私たちの生命・身体、そして生活そのものだからである。私たちは自らの身体と生活を制御しているように感じているが、私たちの生がどれほど社会的であるかは、フーコーだけでなく、すでに多くの先賢によって解明されている。社会的な存在であるということは、社会的な資源もまた、必要不可欠だということでもある。好む好まざるにかかわらず、私たちが社会的に生き続けるために必要な資源――それが「生存資源」である。

マイナンバーが分配機能を果たすのは、唯一、「生存資源」に対してのみであろう。重要なのは、「生存資源のリコメンド」は、事実上の分配にあたるという点であった。統治にとって、社会保障こそが最重要の課題であることは変わらない。財政や資源が逼迫すればするほど、その比重は増すであろう。生・生命・生活そのものを包み込んで制御するという点において、生‐権力はその性格を手放すつもりはない。しかし、それが〈生かす〉ことを直接意味しなくなるという事態は、ありえるのである。

「生存資源」の特徴は、その絶対量が私たちに内在的に決定されているという点にあった。社会的な身体と生活は実態を伴っているので、それを減らしていくとどこかで臨界点lが出現する。それぞれのlの観測値は個人の状況によって異なるが、社会全体の臨界点はその総和Lとして求められる。社会が持ちうる資源の総量W、ないしは社会保障に回しうる資源の総量wがこのLを割り込むという、極めて特殊な時代状況においてのみ、新たな〈生‐権力〉の駆動がはじまる。その特殊な時代が私たちのもとに到来するかどうかはともかく、準備と予行練習は着々と進められている。(11)

〈擬制〉と〈適正〉な分配

「極限状態を迎えた生存資源の分配」という難問を解くために、その統治が、私たちの生を対象とするような生‐権力であり続けようとすることはわかった。しかし、だからといって「生存資源」

の絶対量Lの恣意的な変動が、可能になるわけではない。Lが所与の定数ではなく、別種の関数で決定されるようなL'として読み替えるために——そして理論的には同じ値にならないはずのLとL'を同じと見せかけるために——、導入されるのが〈擬制〉である。

一般に擬制は、「本来そうではないものを、そうであるとみなす」という意味で用いられる。通常、異なっているものを同じであるとみなすためには、その理由の正当性が問われる。そのみなすという作用による人工的生産物が〈擬制された〉L'なのである。

ビッグデータと統計学がおこなっていることは、結局のところ、定数であるLの近似値L'を算出する関数の探索にすぎない。従来どおりの「安全装置としての統計学」であれば、L'=f1(x)という関数を求めるというのを、常道としただろう。しかしそれで、L=L'であることを確約できるわけではない。そのため巨大なデータセットをマイナンバーによるライフログによって用意して、〈統計学的な私〉の生活資源の最低量l'=f2(x)を求めることにし、その総和としてL'を算出するという回り道をすることにするのである。

つまり生存の本来ニーズlを、〈統計学的な私のニーズ〉l'とみなすところが、〈ニーズの擬制〉の構造である。特に、資源量を将来的に減少させようとする場合は、L=L'と言い張るよりも、l=l'として〈擬制〉するほうが簡便になる。なぜなら、例年に比べてLが減少していれば、明らかに異常だとわかって社会問題となるが、lは個人の社会生活に内在しているため、それは「個人の問題」とすることができるからである。そこで「今年のあなたのlはこれですよ」と、優艶にl=l'=f2(x)

を提示することで、その総和であるL＝L'を正当化しうる空閑地を創り出している。おそらく現実には、私たちがl＝l'として認めうるかどうかは、個人の生存や生活場面での闘争状態によって決まってくるであろう。その意味でもl＝l'＝f2(x)は、まさに〈生－政治〉そのものなのである。

この〈擬制〉で重要なのは、絶対的な定数であったLを最初から無視して、あくまで私たちの直面している問題が、l'の総和であるL'であると読み替えているところにある。それが〈サービスの総量の擬制〉である。L'は可変なので、同じく可変である「社会保障に回すことができる資源量」w＝f3(x)と一致させることができる。〈生－政治〉が直面する問題は、L'＝w＝f3(x)を満たすxを探すだけでよい。それが社会の方程式の正解＝〈適正な資源分配〉となるのである。「生存資源が絶対的に不足する」という解決不可能な難問を、簡素な方程式に〈擬制〉することができる。外在的な変数を、内在的に決まっている定数に接続することを可能にする〈擬制〉による統治。ここに〈生－権力〉の転調が産み出され、新しい〈生－政治〉の起源となるのである。

極限となった「生存資源」を〈適正〉に分配するための権力装置

そもそも、人口管理の安全装置としての生－政治には、いくつかの特徴があった。そのうちの以下の二つは、「限られた生存資源」の分配問題を解くさいに、看過できない足枷となりうる。

一言で言うならそれは、統治の制限が、もはや十七世紀における法権利のような統治術にとって外在的な原理によってなされるのではなく、それに内在的な原理によってなされることになる、という変化です。統治の合理性が内的に調整されるようになる、ということ。(Foucault 2004b=2008: 14)

もはや正当であるか不当であるかということではなく、成功であるか失敗であるかということこそが、今や、統治の行動基準とされるということです。成功が正当性に取って変わるべきということ。(Foucault 2004b=2008: 21)

管理し安全をはかるタイプの権力が機能してきた理由は、その調整が「正当か／不当か」ではなく、「成功か／失敗か」をめざしてきたからである。つまり、なぜ統治できるのかではなく、どう上手に統治するかに、問題を縮減させることによって、統治として確立されてきたのである。一方、その統治の輪郭は内在的にかかれ、その合理性は内的に調整されるようになる。実際にその資源分配機能を果たすのは、内的な調整力の代表例としての自由市場である。まさに「市場の調整を社会の調整のための原理として導入する」(Foucault 2004b=2008: 180) のであり、「市場のために統治しなければならない」(Foucault 2004b=2008: 149)。

ここで端的に論じても、フーコーが内的調整の典型、および帰結として市場を想定したことに異論はないだろう。素朴な価格決定の構造からして、市場は自らの輪郭の中でしか調整しえないし、それゆえ管理し安全をはかるような権力は、積極的な介入によって、私たちとその生を輪郭内に押しとどめようと介入しつづけていたのである。と同時に、市場による資源配分の調整は、もっぱら内在的な観点から正解であるとされてきた。その配分が成功さえすれば（価格が定まれば）、それは正しい配分なのである。[12]

原則として市場の調整力は、資源が有限でありさえすればよく、0でない限りその下限にはあまり制約がない。よって貧しさも、富の偏りも、市場の調整として発生した限りは失敗ではないし、生‐政治もそれらをそのまま放置してきた。

問題は、その市場の調整による分配が、生‐権力の本質そのものである「生存資源」にかかわるとき、しかもそれが、「絶対的に不足する」ときに発生する。生存資源の枯渇があまりに進行し臨界点を超えると思われるとき――それこそ単純に平均して分配したら国民全員が生存できなくなる瞬間――があるとしたら、どのように内的調整を試みようとも、人口の大半を喪失し、言い訳のきかない失敗を迎えることになるだろう。生に固執していると成否を問われ、それでも生かし続けるという、解法のない難問を抱えこまねばならない。よって〈生‐政治〉は、そのほかの様々な特徴――例えば生や身体そのものを司り、教導するなど――を変えることなく、以下の二つの要素を読み替えることで、その解消を果たそうとしているのである。

まず、生存させる対象およびその成否の判定を、個人の生ではなく〈擬制された生〉のほうでおこなうことにする。それで実際に分配がなされれば、それは〈適正〉で成功したとみなすことができる。実際にその分配に耐えられず、いくつもの本物の「生」が失われようと、分配が〈適正〉になされた以上、責任は個人の「生」の方に帰される。

また〈擬制〉によって、本来、厳密に内在的であるものにたいして外在性を持ち込むことができる。内的調整がなされている市場に、外在的な論理——例えば国家財政ないしは国家そのものの存続など——を挿入することも可能になる。純粋に内的に決まるはずの配分を、外在的な論理で〈適正〉に制御する機縁を見いだし、しかもその正当性の論理が内在的に存在すると見せかけるために、〈擬制〉する装置が必要なのである。

6　私たちが〈死を司る〉ように〈生を司る〉政治

生‐政治の〝転調〟とは、どのような事態だったのか。生‐政治は「生かすことによって統治する」よう教導するものであり、そして私たちは「そのように生きなければならない」から、それは衝撃で、精細で、苛烈な力として私たちを生かし続けていたはずだった。しかしここで予見されるのは、生を〈擬制〉する装置が、生‐政治が、〈生を掌握したまま、肝心の生かすことに関心を失う〉というものである。生‐政治によって重要なのは、生存資源の配分の成功であり、その配分をまさに調整することで統治する。その成功は適正に保障される。だからあいかわらず、生‐政治は「生かす統治」でありつづける。ここで述べたビッグデータのシステムはいずれも、すべて良心的に設計され、良心的に機能し、私たちを生かし続けようとするだろう。だから問題となるのは、その設計に問題があったり、正しく使われなかったりするところにあるのではない。それが「生存資源の分配装置として機能しうること」、「生存資源そのものが臨界点で制約される可能性があること」、そして「それが対象としている「生きること」が〈擬制〉されているため、直接的に生存を保障するものにはならないこと」の三点が揃った時に、はじめて問題になるのである。その整合点から、私たちはどれほど離れているのだろうか。

繰り返しになるが、本章がここまで述べてきたのは、すでに起こってしまった現象ではなく、起こりうる可能性である。さらにいえば、実際に起こったかどうかではなく、「枯渇した」という社会認識が普遍的に共有化される未来である。社会全体における「生存資源」の枯渇までには、まだ少し時間があるし、財政も保険制度も手をこまねいて放置したりはされず、それなりの延命対策が打たれるだろう。また私たちも「生存資源」そのものの〈擬制〉までは、そう簡単には許さないだろう。だから著者としても、そのような未来が到来しないこと——生‐政治が、〈生を掌握したまま、肝心の生かすことに関心を失う〉こと——を願っている。ただしフーコーが生‐権力をキリスト教の司牧的権力の歴史から抽出してきたように、〈生かすことに関心がない生‐政治〉の萌芽は、すでにいくつも発見することができる。身構える用意が早すぎる、ということはない。

だから、本当に論じなければならないのは、現在のビッグデータの活用システムではなく、それが〈生きる〉ことを対象とする近未来——ポスト・ビッグデータの時代なのだ。ビッグデータによる番号制度を資源配分として活用するもっとも典型的な例は、私たちのすぐ隣で現出しつつある。「生‐権力の仕組み」だけの話をすれば、民間の「芝麻信用」の国家版、つまり中国大陸における Social Credit System（ＳＣＳ）こそがもっとも類似、というより、ほぼ同じ構造をもって顕現している。ただ違うところは、それがスコア化し分配しているのが、上限のないある意味抽象的な「社会的信用」であるのに対して、私たちが直面しうるのが、いわゆる「福祉にかけられる予算の限界」という、生存資源の臨界点という点である。(13)

ＳＣＳの詳細については、次章で扱うことになる。本章では、従来の権力論が、このような「極限下における統治の到来」をどこまで射程に入れてきたのか、疑問を呈しておくにとどめておこう。歴史を振り返っても、マイノリティやある階級の「生存資源」が偏ったり、欠如に陥ったりすることはあっても、社会全体の「生存資源」の総体が不足するという事態は、ほとんどなかった。「生存資源」の枯渇には明確な許容の限界がある。その極限状態を想定した時に問題になるのは、配分結果の内容――資源の偏り方――ではない。そもそもその配分の方法――統治のあり方――の方が、問われなければならなくなる。

生存資源が臨界点を迎え、用意されつつある分配装置が駆動しはじめた結果として、生‐政治は、生‐政治のままであり続けられる。仮にそれが〈擬制された生〉で、私たちの生き残るための資源と開きがあったとしても、生‐政治は（遊離した）生きることを統治しつづけ、死は司らない。

では、私たちの死を司るのは誰か。おそらくそれは、私たち自身だ。ブラックな労働環境で（本当は違法なのだが）いかんともしがたくなってしまったり、緩和ケア病棟で（本当は違うのだが）生きる意味を見いだせないと誤解してしまったり、独居での介護を受ける生活で孤独感を深め（そのような事態も避けられるのだが）「生きるのに疲れた」が口癖になってしまったり、覚えのない失敗や誤解でソーシャル・クレジットが下がって事業費を借りるコストが上がって破産の危機に陥ってしまったりする。限界を切った生存資源の、限界を切った配分減少は、そのようなかたちであらわれる。つまり、死をめざし、死を司るのは、私たちじしんなのだ。

私たちは、なぜ生きることを諦め、死を受け入れるようになるのか。それは、社会に見捨てられたように感じるから——私たちの生きる環境、生存するための資源の分配が、明確に自分の生に対して不足しているから——である。本質的に人の生存は社会の義務であり、現在でもその務めは果たされている。新しい生‐政治が管理するのは〈擬制された生〉であり、それに対して公平にかつ正当に資源分配をおこなうことこそが、私たちに生きることを断念させる。何らかのシステムに何らかの形で算出された〈規準〉による、〈擬制〉された自分の生に対するによる資源配分が、それぞれの個人が生きるリアリティが隔絶しすぎて痩せ我慢ができなくなった人、ないしは階層から順に、私たちは「自己に配慮」（Foucault 2008=2010）できなくなり、絶望したり諦観したりして、自らの意志で生きることを辞めるようになるのである。

多死社会における死の連続は、おそらく「寿命がきた順番」などという平和なものとしてはあらわれえないことに、私たちはもっと警戒しなければならない。この社会は、何らかのかたちで「厳密に公正に」限られた資源を分配し、そして「順番に自発的に」生きることを諦める人たちを生み出しつつある。生－政治の装置は、完璧に公平に適正に機能する。だから、生－政治はちゃんと生かし続けているし、多死社会の到来においても完全に免責される。多死社会において〈死を司っている〉のは、私たちなのである。

最後まで私たちは〈愛〉されていた。新しい〈生－政治〉も最後まで、私たちを「がんじがらめ」に生かし続けようとしてくれる。その、がんじがらめの〈愛〉を最後の瞬間に拒絶し破局を選ぶのは、私たちなのだ。だから私たちは慰謝料を自分の命で支払うことになる。しかし、その戦略がどれほど、あらためて惚れなおすほど巧妙であったとしても、やはりそこに〝愛〟はない。あったとしても、その〈愛〉は〈擬制〉されている。

第5章

なぜ、〈ビッグデータ〉は〈真実〉なのか
――ＡＩ・Citizenship-Rated Society・〈適正化される生〉

1　情報社会の〝真実〟

映画で「これは、真実の物語である」と流れたら、私たちはたいてい、大いに期待できるヒューマンドラマだと身構えて涙腺を緩める準備をする。「真実の提示（現出）」は、私たちが求めてやまないものだが、それゆえ私たちの感情、認識を大きく規定するものでもある。

生きることが情報システムによって司られる、ポスト・ビッグデータ時代を描きだすための最後の準拠点として、本章で論じるのが、「真実」である。なぜなら、前章で介護の科学化と統計学について論じたさいに描写したように、「ビッグデータ」と喧伝されるシステムが、私たちの思想、社会、そして〈生〉に有用で、決定的な影響を与える理由は、それが「真実（verity）を提示」する

のにほかならないからである。大仰に「ビッグ」などとあるからつい身構えてしまうが、結局は単なるデータ集積だ。どれほどその量が増え質が高まろうと、ただ集めてあれこれしているだけなら、姑息な広告業者や効率化にキリキリするネオフィリア程度の扱いで十分だろう。しかしそれが決定的に重要になったのは「ビッグデータが（私たちに対して、私たちが知りえない、私たちが遵守すべき）真実を語る」からである。

ポスト・ビッグデータ社会を見透す〈生きることとの情報化〉をめぐるみっつめの思考実験は、個人・人口から、さらに射程を広げた社会全体の情報化の未来について考えることになるだろう。そのときのテクノロジーの根幹として考えるべきなのが、ビッグデータとＡＩ（Artificial Intelligence）であることは論をまたない。ビッグデータが思想的・社会的な意味をもつのは、現状では（おそらく将来でも）、それを処理可能にしたＡＩ（人工知能）と一体化するからである。ビッグデータなきＡＩはどこまで進んでも、せいぜいおもちゃの犬程度の能力しかもたない。同じくＡＩなきビッグデータはどこまでため込んでも、無造作にしまいこんで資料を見つけられない、どこぞの役所の地下倉庫と等価である。本章での議論も基本的に「ビッグデータ×ＡＩ」として扱うことになる。

2　Social Credit System と“Citizenship”

二〇一〇年代後半は、ビッグデータ×ＡＩが社会史上、画期的な転機を迎えた時期として記録されるだろう。その典型例がSocial Credit System(SCS)やそれに類するシステムであることは疑いようもない。今世紀最大のフロンティアである中国では、民間ではアリババグループのSesame Credit(芝麻信用)やWeChatのテンセントグループによるもの、さらに国家規模の公的なSocial Credit System(社会信用体系)に至るまでに成長している(Chen, et al. 2017, Ma 2018)。

どのシステムも基本理念は単純で「膨大な人々の生活上の情報を追跡・集積し分析することで、ネットやリアルの生活で悪いことをしている(料金滞納など)と判断される人はクレジットが下がり、良いことをしていると判断される人は上がる」というものだ。芝麻信用はキャッシュレスの巨大なインフラとなっている決済サービス「支付宝」(Alipay)と紐づけられ、そこでのクレジットが各個人の与信枠に比例するなど、生活における実態的な影響を拡大している。

SCSが国家による制度化に到達する過程で、巨悪な全体主義的な監視・刑罰システム〝ビッグ・ブラザー〟の到来を予見する、旧来的な見方がないわけではない。しかしSCSは「市民道徳への努力を隠し立てせずに公表して広範囲に伝え、また自分の行動が個人意識の向上というPR運動に関わっている」(Creemers 2018)という効果を生んでいる。確かに共産党への(ごく少数の)抵抗勢力に対しては強く否定的に機能するではあろうが、それでも実際に、人々の市民意識の向上に貢献している。それは共産党政権が高度成長に次いで、人民に実現しうる「幸せの果実」なのである。

3　ビッグデータ×ＡＩと「真理の体制」

隆起する国家権力のプラットフォームと化すＳＣＳと民間のレーティング・システムを一体で扱うことを乱暴とする向きもあるかもしれない。しかしＳＣＳとそれに類似するサービスが、やがて重力で引かれあって太陽系のごとく連動するであろうことを除いても「ビッグデータ×ＡＩ」という回路からみれば、そのすべてが三つの点でまったく同じ軌道を示している。

まずひとつめは、その「ビッグデータ的側面」から説明できる。芝麻信用が自信をもって Social Credit を算出するためには、第4章でふれたライフログと統計学のように、参照されているデータが「ユーザー本人のデータを相当程度トレースできていること」と「想定する社会全体のデータが相当程度網羅できていること」の両方が満たされている必要がある。私たちのことを判断するさいに参照されるビッグデータには、基本的には自らの過去のデータが含まれる。しかし多様な主体から集積し匿名化され、かつ類型化されたデータの方がはるかに多く、しかも増え続けている。つまり「私がどのような人であるか」という私にとっての「真実」が「私のデータではあるが、私だけのデータではない」、かつ「その世界全体を包摂しうるデータ集積」から現出されることになる。(1)

もうひとつの「ＡＩ的側面」は、本邦での類似システムといえる J-Score の例で考えるとわかりやすい。従来では与信審査にあたる質問に、「一日にどのくらいテレビを見ていますか?」や「好きな料理のジャンルは何ですか?」といった、レンディングに直接関係なさそうな項目も含まれていることが体験できる。同じ違和感は、アメリカで急速に普及する保釈者等の再犯率を算出するCriminal Risk Assessment Systemや、日本でもはじまっている人事採用でのＡＩ評価などにも覚えるだろう（Dressel・Farid 2018, リクルート・キャリア 2018）。ＡＩの進化でターニング・ポイントとなっているのは、ディープ・ラーニング――人間がルールや基準を与えなくても、多量のビッグデータがあれば、その特徴量を自分で見つけ出すという機械学習のこと――であることは疑いもないが、そこではなぜその特徴なのかはブラックボックスのままで、立証されないしされる必要もない。ただその特徴が見つかるだけで有用なのである。実際に上記を含め厳密にディープ・ラーニングを使いこなせているものは多くはないが、ほとんどがその搭載を試みている。論理的な説明が未達であっても、統計的に有意差があり確率的に予測可能であれば、「真実」になるという回路こそが重視されている。

私たちが従来どれほど「真実」への到達に苦労してきたかを振り返ると、「真理へのバイパス」とでも呼ぶべきこの成果を、単純に祝福したくなる気持ちもわかる。しかしみっつめとしてその共通点が、その「真実」が、私たちの「生きるあり様」を相当程度に決定づけるレーティングとして機能するということを、忘れてはいけない。早晩、私たちはそれらによって示されるスコアや選択肢に従って、与信されたり採用されたり保釈されたり、あるいは政治決定を下したりして、生活するようになるだろう。なぜなら「あなたにとっての真実」として表明されたものは、それにどれほど異議があろうと私たちは遵守しなければならないからだ。フーコーはそのような真実（verity）による統治術を「真理の諸体制」（Foucault 2012=2015: 107-9）と呼んだ。ビッグデータ×ＡＩが「真理を算出することによってひとを導」く。私たちの論理力を受容しないこの種の体制の本質的な意味は、彼の力を借りなければ解読さえ不可能だろう。

4　障害者の「自立」と主体性の闘争

Citizenship という概念は、あらゆる意味において「近代最大のプロジェクト」といえる。一七世紀の市民革命から二〇世紀の公民権運動に至るまで、それは常に近代社会の核心であった。その全体像を論じるのは、本章の力量と役割を超える。つまり補助線が不足している。そこでもうひとつ、著者に馴染みのある「障害者の自立生活運動」という補助線を引いてみたい。主体が生きる場面での Citizenship を考える上で「戦後の日本に、一般的には知られないところで、「公民権運動者」と呼ぶにふさわしい人びとがいた」（安積ほか 2012: 655）と記憶されていたその闘争の場面は、ＳＣＳがもたらす Citizenship の変質を、何よりも鋭く問うてくれるだろう。

障害があって、生きるために必要なことを自分一人だけで果たすことができない場合、その人は常に、「一人前」として扱われないという問題に直面する。障害者に長らく Citizenship の根幹ともいえる投票権が保障されてこなかった一事をもっても、障害があるということが、どれほど市民であることから遠ざけられてきた要因かがわかるだろう（Oliver 1990=2006）。

障害者が一人の人間として自立し、意志決定を下すことは、日々の生活のさまざまな場面でおびやかされる。一つ例を紹介しよう。私の友人に味噌ラーメンが何よりも大好物な二〇代の男がいたのだが、彼のラーメン道楽はたいてい二種類の人々に邪魔されていた。一つは医者・医療職である。彼は障害で長らく病棟での療養生活を送っていたため、主治医はまさに「患者としての彼の健康を損ねる」という理由で反対していた。主治医が反対する以上、看護師を含む医療職も全員、賛成していなかった。

もうひとグループが彼の家族・身内である。腕を動かすことができない彼がラーメンを食べるためには、店に行くか出前の予約を電話でとり、店に行く場合はリフト車を手配し、出前の場合はどんぶりを受け取ってもらって、介助者に食べさせて（麺をハサミで切り、スープを小皿に移して冷まし、口まで運ぶ）もらわなければならない。離れて暮らす家族には難しいし、かつ介助者にも過剰な負担をかけるわがまま（実際はそんなこともないのだが）に見えてしまう。そこで私はよく、彼が買い物や近隣施設に行くついでに、彼がこっそりラーメンを食べるためのボランティアをしていた。

私たちが「シークレット・ラーメン・デイ」と呼んでいた一日だけでもこの騒ぎなのだから、障害者が施設や家庭を出て介助者を自分でコーディネートして暮らす「自立生活」を選ぶさいの葛藤が、比べ物にならないほど深刻であることは、理解してもらえるだろう。障害者の自己決定に、この種の葛藤はつきものである。それが起こる理由は、「自分についての情報を自分で所有したり自分のことを、自分に納得いくかたちで決めること」が妨げられる要因が存在しているからだ。ひとつめは医師など専門職の「パターナリズム」としても知られる、まさに「自己よりも自己の身体についての真理を知りうる」というかたちで現出する権力のあり方である。もうひとつはフーコーなら、欲望からの教導とでも呼んだだろうか。家族や介護者がまさに「良心の代わりになる導き手」(Foucault 2008=10: 37)として機能している。しかしここではあくまで「障害者の自立」に論を絞りたい。

私たちは、私たちについて真を語るために、私たち自身について語る義務があります。(Foucault 2012=15: 357)

自立のために必要なのは、「自分のこと(情報)を、自分に納得いくかたちで決める」という〈力〉である。つまり「自分についての真理」を自らの理性で判断し語る〈力〉が、自らが生きるための〈技〉として必要なのだ。専門職や介助者が「自己の真理」を語ることが、権力を生み、障害者本人の身体をめぐるコンフリクトを生じさせているのである(安積ほか 2012: 203)。ではそれに対してどのように抵抗する=「自己を統治」するべきなのか。フーコーは「自己の良心の検討」とでも名づけられる自省的おこないに注目している。

(…)そうすることができるために良心の検討は何を発見しなければならないのか。(…)行ないを検討し、過去の一日の自分を検討するのは、振る舞いの合理的原理を取り出すためなのです。（…）つまり、それは私自身の理性の萌芽として、自立して振舞うことを可能にしてくれますが、それと同時に、世界全体に適合した振る舞いをも可能にしてくれます。というのも、その合理的原理は普遍的であり、合理的振る舞いとは世界全体との関係において私を自立させてくれるものです（…）。（Foucault 2012=15: 280）

自己についての統治にもかかわらず、なぜ自らが統治しえないのか。考えてみると私たちにとっての「自己の身体」は、おそらく有史以来、常に自分以外の様々な力による統治の対象であった。封建権力にしても福祉国家にしても、身体に介入してこなかった統治のあり様はなかったといってもよい。それに対してフーコーが抵抗の橋頭堡として用意したのが、自己の身体と自らの理性を区別して鍛え、「主体として自己を検討」し、命をかけて自らについての真理を語るという「理性の自立的使用」であった。ここにこそ、自らの外部からの間断ない影響力のもとで、自らとして生きていく〈技法〉の種火を見いだすことができる。だから自立生活運動は、障害者にとっての主体性の獲得闘争であり、それゆえ最終的には主体化した障害者の勝利で終わるし、終わるべきなのである。

5　真理のバイパス、〈適正化〉、Citizenship-Rated Society

「自己の主体」を実践からめざす障害者の自立生活運動と、古代ギリシャからの理論化からめざされたフーコーのパレーシア概念が、ともに「市民」＝Citizenshipをその源泉としているのは、ある意味で当然なのかもしれない。そのどちらも「命をかけて自らについての真理を語る理性」として現出したが、ビッグデータ×ＡＩは、そこに「真理のバイパス」を通そうとしているのである。

ＳＣＳや類するシステムによって与えられるレーティングは、私たちの市民度をスコア化したものだが、それが決まる論理はブラックボックスで、仲間の情報も他人の存在もビッグデータの向こう側にしかいない。「内なる秘密を開示する覚悟」も、「他者と自己を吟味する試練」も存在しない。理性的な主体ではなくてもCitizenshipを配給する装置として駆動する代わりに、私たちが理性を鍛え主体化をはかり、自己を統治する〈技〉を学ぶ機会を奪うのである。

ここで、本章で論じてきた第三の思考実験は、個人と主体の〈生の情報化〉を検討した、第3章での第一の思考実験へと回帰することになる。つまり、その真理こそが、私たちの生きることの〈規準〉となることで、生が〈適正化〉される。私たちが〈規準〉に従って生きなければならない理由は、それが〝真理〟だから、社会的に〝正解〟である点に由来するのだ。

〈規準〉そのものは、いつも〝正しい〟。しかし最初から〈規準〉どおりである人間はひとりもいない。つまり人間は、たいてい〝正しくない〟地点からスタートする。よって〈規準〉が中心となる社会は、主体が常にその〈規準〉を追いかける日常が常態となる。適正化が終了しない限り、自らの誤りを認め続ける過程となりかねない。

その〈規準〉は、情報技術によってモニタリングされた、私たちの生のビッグデータに基づき、そのビッグデータによって強化学習されたＡＩの判断が生み出し、正しさとしてRatedされたものとして現出する。それゆえそのような生の正解としての〈規準〉を守るべく適正化しつづける責任は、それぞれの主体に帰されることになる。〈規準〉の正しさは問われない。問われるのは、私たちの生の正しさでしかない。それゆえ適正化の不合理さ・不満・葛藤は、外ではなく内に向かう。〈規準〉が達成できない責は、そのような人生をおくり、生活をしてきた各個人に向けられることになる。情報社会が実現する生は、そのようなかたちで、私たちの〈生きる〉主体のありようを変える。

幸福で平和であれば理性的でも主体的でもなくていい、という極論もありうるだろう。新時代が求めるのは葛藤する市民ではなく愚直な人民なのかもしれない。しかし私たちの理性的主体はもうひとつ、重要な機能を果たしてきたことを忘れてはならない。障害者が介助者と葛藤しながら形成してきた関係や、フーコーが主体をめぐる合理性の議論の終極として想定してきたのは、「他者理解」と「世界理解」であった。私たちの主体化は、自立は、その外側に線を引かれる他者の理解と社会との関係性の構築を、同時に意味するものだったのである。「ビッグデータ×ＡＩ」によって、私たちの信用が、理性が、Citizenshipがレーティングされる社会というのは、自らの主体化に代わって自己が統治されるような「真理の体制」を受け入れることと同義なのだ。

主体なき自己がありうるか、理性なき市民が存在しうるか、他者理解なき共存や共生が到来するのか。著者には自己を配慮する用意のないものが他者や世界に配慮できるとは思えないのだが、確かに未だ実現していない以上、「ビッグデータ×ＡＩ」に問うのもひとつの未来だろう。ただ、そこで解答された「真理」が、私たちが自己と他者をめぐって鍛え上げうるような自己統治の〈技〉＝〈生の技法〉と、仮に似ていたとしても全く異なるものであることだけは、自覚的であり続けたい。語られる物語が〈真実〉であればあるほど、その距離は広がる。そしてハッピーエンドの「真実の物語」は、たいてい駄作なのだ。

第Ⅲ部　〈情報弱者〉と〈生の技法〉の社会学

第6章

コンヴィヴィアル・メディア・リテラシー

――そして「障害者の自立と共生」から何を学ぶか

そこでアリスは、罰として、子ネコを鏡の前につれていきました。どんなにむすっとした顔をしているか、自分で見られるようにです。「これですぐにいい子にならなかったら」と、アリスは言いました。「鏡のなかのおうちへやってしまうわよ。そうしたら、どんな気がすると思う?」

(Carroll 1871=1998: 17 傍点部は著者)

さあ、おしゃべりしないで、よく聞くのよ、キティ。そしたら、鏡のなかのおうちがどんなだか、話してあげるわ――いすの上に乗れば、部屋じゅうがすっかり見えるけど、暖炉のかげに隠れるところだけは見えないのよ。ああ、どうにかして、そこんところが見えないかしら!……ねえ、鏡のなかのおうちに住んでみたくない、キティ? あっちでもミルクをもらえるかしら? ひょっとすると、鏡のなかのミルクはおいしくないかもしれないわよ。

(Carroll 1871=1998: 17-18 傍点部は著者)

1 「鏡の国」のタブレット――不自然なほど当然なテクノロジーをめぐって

「デジタルの力をキミたちのエネルギーに！ 小学3年生タブレットコース開講！」[1]というチラシの名台詞に、思わず視線を漂わせると、授業で使うべく借りていた『鏡の国のアリス』の古ぼけた背表紙と目が合った。そして以前出くわした、小さな女の子が電源の入っていないタブレットに映る自分をみながら、「かがみ？」と首を傾げた場面を、ふと思い出した。

スティーブ・ジョブズ自らが、自分の子どもにタブレットを使わせていなかったそうだし、Wired の編集長だったクリス・アンダーソンの教育方針は「ベッドルームにスクリーンはいらない」だったらしい（N. Y. Times, 2014）。だからといって、安易に「スマホ・タブレット愚民論」に同意できるわけでもない。実際のところ、どの駅の待合ロビーでもファミレスでも、「向かい合って会話をしている親子」よりも「無言でそれぞれスクリーンに向かい合っている親子」か、せいぜい「親のスマホを覗き込んでいる子ども」のほうが多いだろう。すでに私たちの生きるあらゆる空間のあらゆる隙間に、その鏡・スクリーンは当然のように遍在し、生まれる前からそうであったかのごとく自然に溶け込んでいる。そもそも私自身が、ここ数年の最優先の仕事として、タブレットのアプリ開発――それも、障害のある小さな子ども向けの――に励んでいるのだ。タブレット・スマホの最大の特徴は、「その自然さ」にあるといってよい。タブレットこそは、生活世界に溶け込むために生まれたメディアなのである。

タブレットとスマホ(2)がすでに、私たちの社会に不可欠なテクノロジーであることは、自らのiPhoneを握りしめながら認めよう。それが私たちのリビング、食卓、寝室といった、あらゆる生活の場に当然のごとく存在し続けることも——iPadを書架の最上段に隠しながらではあるが——受忍したいと思う。それでも、タブレットが私たちの「生きる現実」でついに果たそうとしている「意味」にかんしては、譲ることができない一線がある。そして、その理由もある。

私たちが道具の今日の深部構造を逆倒することを学ばないかぎり、……各人の自由の範囲を拡大するような、そういう道具を人々に与えないかぎり、機器は解決不可能なのだ。人々は自分のかわりに働いてくれる道具ではなく、自分とともに働いてくれる新しい道具を必要としている。人々は、より巧妙にプログラムされたエネルギー奴隷ではなく、各人がもっているエネルギーと想像力を十分に引き出すような技術を必要としているのだ（Illich 1973=2015: 38）。

前章までで、情報社会における「ビッグデータ」の氾濫と、それが私たちの生活に浸透することの意味を、いくつかのテクノロジーと社会制度の具体例をもちいて考察してきた。ビッグデータを司るプラットフォーマーから、AIに至るまでの技術的進展を取り上げてきたが、私たちという〈生きる存在〉にとって重要なのは、テクノロジーの進歩そのものではない。それが私たちの〈生〉を支えたり、代替したり制約したりするという地平——ポスト・ビッグデータ社会——にこそあることを、本書では論じてきた。

そのために体内に電極を埋め込んだり、サイバースペースに生きたり、「機械と生物とのハイブリッド」(Haraway 1991=2000)になったりする必要はない(もちろん、そうであってもいいし、そうならないというわけではない)。まずは、自らの生き様を映し出す「鏡」があれば、十分だ。本章で述べているこれらの論点は、「ビッグデータ」「ライフログ」「SCS」といったキーワードで切り取られてきたし、「ウェアラブル」「センサーネットワーク」「デジタルヘルス」などといったテクノロジーで彩られている。しかし、私たちの〈生きる〉世界の情報化という点では、タブレットやスマホと本質的な意味は変わらない。その意味で、ポスト・ビッグデータ社会の黎明をもっとも象徴的に彩るのは、当然のように今でも、私たちの隣で休むことなく働いている。この、私たちの生きる現実をそのまま映しこむスマホやタブレットでいいのだ。

むしろ、私たちの生活世界を情報化するという一点に限れば、現時点でタブレットやスマホほど、それに向いているディバイスはない。そのスクリーンの背後には、目としてのカメラ、耳としてのマイク、GPSの位置情報センサー、さらには動きを検知する加速度センサーまで搭載されている。このような端末を与えられて、それらのセンサーを駆使したライフログを意識しない開発者の方が珍しい。プログラミングを少しでも学んだことがあれば、スマホがどれほど私たちに寄り添って、その私たちの行為や活動を「鏡」のように映しこみつづけているか、理解できるだろう。

私たちの隣に常に「鏡」があるという現実が、私たちの生存する現実を情報化するという、「生活世界の情報化」の最終局面が到来していることを、雄弁に物語っている。ポスト・ビッグデータ社会においては、ライフログにしてもマイナンバーにしてもSCSやAIにしても、それがどれほど精密に、安全に、善良に機能したとしても、そして私たちがその期待に応えて使いこなそうとしたとしても、「生きづらさ」の辺境に追いつめられていくことは、第Ⅱ部全体をもって詳述してきた。その意味ですべての生きる主体に「情報弱者」を強いる社会であるということができる。第Ⅰ部の視角に戻れば、明確にそう言えるかもしれない。

しかし本章でスマホ・タブレットというテクノロジーを正面から論じる理由は、このようなポスト・ビッグデータ時代の開闢《かいびゃく》を——その新鋭の技術と新装の生‐政治に——推戴するためではない。ポスト・ビッグデータ時代の萌芽がすでに現前しているように、それに抗する技（わざ）も、私たちに与えられている。その胚胎を、情報社会の「生きづらさ」に直面せざるをえず、その中で生きる技——〈生の技法〉——を営み蓄えてきた「情報弱者」という存在に見いだすことができるのではないか。だから本章からの第Ⅲ部では、「情報弱者」という存在の再評価と再解読、というよりも、弱者（という存在や、そうだとされる人）の生から、どれほど学ぶ必要があるのか、の論証が目標になる。本章は、そのための〈生の技法〉の所在を描きだすための第一歩で、そのためには、ポスト・ビッグデータ時代の萌芽たるタブレットに注目する思考実験が、やはりふさわしいだろう。

人間の行動のほぼ全てを記録して映し込むことを可能にした「鏡」のようなディバイスが、私たちが生きるすべての場面に、当然のように溶けこんで随伴している。それゆえ、現在のビッグデータ社会の帰結である、〈生きることの情報化〉によって成立するポスト・ビッグデータ時代の端緒が、鏡のかたちをしたタブレットからはじまっていることも、その象徴がスマホの画面の向こう側で像を結んでいることも、当然のことなのだと思う。今後、ウェアラブルなセンサーを身にまとった私たちが、ビッグデータにアシストされながら生活することになっても、そこにおける〈生きる意味〉は、本章での指摘となんら変わるところはないのである。

新小学三年生向けタブレット教材のセールスポイントは、「動画やシミュレーションで実験を疑似体験！」と「学習カレンダーを自動で作成（しかも一五分単位）」だそうだ。「学ぶリアリティまでデジタルなのか」と教練装置を見抜くことも、「とうとう好奇心まで管理対象なのか」と管理技術を嘆くことも、ないしは「こんなに進化した教育はなかった！」「ＩＣＴ環境に親しむことで将来、社会で活躍できる資質や能力が育つ」としておくことも、さほど難しくはないだろう。しかし、それが私たちの〈生きること〉においてもつ意味を論じるためには、工夫と、洞察と、「鏡の国」に没入する社会学的想像力（Mills, 1959 ほか）が必要なのだと思う。

だから結論部のはじまりであっても本章では、想像力を最大限に働かせて、一種の思考実験のかたちをとりたい。私たちの〈鏡像〉を描くスクリーンに、はたしてどのような意味があるのか、それをもって私たちがどのように生きることが可能で、必要なのかを論じるためには、具体的な人物に登場してもらうのが一番だからである。それゆえ、この第6章からは本書の考察とまとめの過程として、スクリーンが生み出す「鏡の国」で生きる「Ａ子」の話として整理していきたいと思う。(3)

名前もそうだが年齢も、オリジナルへのリスペクトを含めて七歳から八歳ぐらいの少女としよう。そしてもうひとつリスペクトを込めて、A子には遺伝子の染色体（これもポスト・ビッグデータ時代の〈鏡像〉を試す仕組みともいえる）にちょっとした相互転座と重複があることにしたいと思う。[4] 遺伝子の変異などというと非常事態のように思われるかもしれないが、染色体の相互転座は少なく見積もっても五〇〇人に一人、均衡型であれば二～三人の割合で存在する。染色体はその分離や交叉の段階で多くの変化を伴い、その揺らぎが私たちの多様性の源となって、世界をあざやかに彩色しつづけている。

私たちがそもそも豊かで多様であること、そしてそのような存在がこの社会で共に「生きる」ことについて、A子は多くのレッスンを与えてくれる。念のため断っておくと、この話は「夢の中」では終わらない。確かにA子は、実在の人物というわけではないが、特に本章で言及している例は、私が実際に出会ったり共に感じたりしている人々のリアリティを、集め考え抜いて託したものである。だから彼女の生きる世界は圧倒的な現実に包まれているし、そこから導きだされる論理の記述は、私にとって命を消費する作業になるかもしれない。本章は、なかでもデジタルなスクリーン――それは世界と繋がりつつ、自分自身を映し出すタブレットやスマホに表徴される――を前にしたさいの、印刷用教材としての役割も、もつのである。

2 「生きる」こと・テクノロジー・〈規準〉──安全装置の規律的駆動

いつも不満で自省もしているのだが、私自身を含め情報技術やメディアを論じたり開発したりしている、ないしは子どもたちを教育している人の多くは、「生きることの振幅」というリアリティを、単調に扱いすぎると思う。別にダイバーシティとかマイノリティといった言葉を推進しろといっているわけではない。むしろ逆に、そうした用語を声高に掲げる研究ほど、「生きる」という課題の現実に鈍麻だったりする。結局私たちは、メディアやICTを考える時に、ユーザーを安易にかつ平板に想定しすぎなのではないか。

たとえばA子と共に生きようと考えるだけでも、人間という存在が、そして日々生きていくという営みが、どれほど多彩なものであるかを痛感する。本章が問題にしなければならないのは、そのような振幅の多い「生きる」ことそのものを映し出そうとするメディアがあるとしたら、そこで結ばれる鏡像はどのようなものなのか、そして映し出されるということが私たちにどのような意味をもつのか、に焦点化される。

「生きること」とテクノロジーを真剣に学ぶにあたって助けになるのは、A子だけではないだろう。それをもっとも正面から論じた先人として真っ先に名前をあげるべきなのは、やはりフーコーであろう。

主権の権力という、死なせる力を持つ、絶対的で、劇的で、暗い巨大権力の下に、いまや、この生権力のテクノロジーとともに、つまり「人口」そのものについての、生きた存在としての人間についてのこの権力のテクノロジーとともに、「生かす」権力としての持続的で知的な権力が現れるのです。(Foucault 1976=2007: 246)

彼みずから「軽はずみに」(Foucault 2004=2007: 3) 呼んだといった——そして執着し続けた——「生-権力」概念の冷酷な姿は、A子のような「生きる」ありようの中でこそ、くっきりと浮き彫りになるだろう。それは、あまりに複雑で多様な身体に対して、社会が安全を保障するという名目で、比較可能なように評価する過程で像を結ぶ。

A子によるレッスン1——鏡像は〈擬制〉を映すこと

A子は、本当にゆっくりじっくりと成長する。実際のところ、人間の成長スピードほど、人によって違うものはないだろう。あなたの目の前の人がいつ成長期をむかえたのか、さらにはこれからどのように老いていくかは、推測するのも無意味だ。A子の場合は三歳半まで立って移動することができなかった。玄関前のたった二段の階段を、なんとか手をつかずに上り下りできるようになったのが五歳といったところだ。そしておそらく彼女はそれで十分、暮らしている。大好きな庭の花を見にいけるし、向かいの家のネコに挨拶もできる。ややおぼつかない足取りでも、近所の肉屋に行くと、いつもおまけしてもらえる近所の人気者だ。彼女の両親は、彼女のペースにあわせてゆっくりと丁寧に愛することができて、むしろ幸せを感じているようだった。

障害が個人の身体能力ではなく、社会環境によって構成されるというすでに第2章で述べた「障害の社会モデル(5)」を持ち出すまでもなく、彼女がゆっくりと自分のペースで生きていくことに、さほどの不都合はない。逆に不都合があるかどうかは、社会の側が「階段の上り下りができない」ことを、どこまで許容するかによるだろう。そしてA子は数年もたたないうちに、はじめて自らの〈鏡像〉に直面することになる。それが義務として立ちあらわれるのが、「学校教育」である。

義務教育には「学年」がある。該当の年次に収容されるためには、成長の振幅に「許される範囲」と「許されない範囲」がある。一昔前は、該当児童の障害の有無が判明するきっかけが、小学校の就学前診断ということも多かった。早期介入が一般的になった近年は、それ以前に医療機関で判明することが多いが(A子もそうだったが)、それでも本人にとって、克服しがたい問題を自覚するきっかけは、今なお義務教育の場であるといえる。A子はそこではじめて、「普通学級に所属するには、身体能力が充たない児童」という自像を、与えられて生きるようになる。

ある人の障害の程度を測定し判断するという「障害認定」は、その生を保障するかわりに、管理される存在であることを求めるという、フーコーのいう「生-権力」の、もっとも純粋で素朴な姿だといえるだろう。その意味で、障害認定を受けたA子に与えられた身体障害者手帳は、「障害者」としての彼女の像を映す、タブレット到来以前の「古びた鏡」そのものである。彼女はこれ以降、生-権力にとって映しだされた障害者という〈鏡像〉をもって、社会的に位置づけられるようになる。

この話は、A子のような障害者の身にのみ起こるのだろうか。生-権力を、しかもそれがもっとも躍動する義務教育のような現場を、あまり甘くみない方がいい。そもそも学校教育は、それが誕生してから常に、人を育てるというよりも人を選別するために機能し続けてきた。それを指摘するのに、わざわざイリイチを引用するまでもないかもしれない。

学校化の階梯を登り終えたものは、どこで人々が脱落したか、どれほど彼らが無教養かということを知っている。いったん、人々の知識水準を定義したり計ったりする機関の権威を受けいれると、人々は彼らにかわって適切な健康と移動の水準を定義してくれるほかの機関の権威をも容易に受け入れるようになる（Illich 1973=2015: 56）。

「生-権力」が私たちに〈像〉を与えるのは、人間を比較し選別するためである。しかし、ここで疑問が残る。なぜそれは、私たちを直接比較せず、わざわざ〈像〉を与えて選別するのか。ここに、この〈像〉を描く〈鏡〉として、タブレットというテクノロジーが侵入する間隙がある。選別のためには比較が必要だ。では私たちは、どう比較されるのか。なぜそれは正確なのか。

これまで「生-権力」なしに、さらにいえばそれが与える〈像〉なしに、A子が誰かと比較可能であったことは、ただの一度もなかった。そもそも人間は、それどうしを比較するには、あまりに多様すぎるのである。そこで「生‐権力」は、そもそも比較不可能な人間を比較するために、一種の仮想上のスケールのようなものをつくることにした。

それは実は、A子たちが生きていくために必ずしも不可欠な能力ではない。だいたい生きるための力そのものは、人によって違いすぎて測定したり比較したりしようがない。しかし、見るからに生存力と関係がなさそうなものでは、説得力がない。そのため、「生存のための力そのものではないが、関係はしていて、なにより測定し比較しやすい尺度」をつくって、私たちを測定・比較することにしたのである。その現在形が「成績」であったり、「体力測定」であったり、ないしは「知能検査」と呼ばれるものである。「通知表」、「測定カード」、「知能指数」は、私たちそのものではないが、比較可能になった私たちの〈像〉を映し出しているものである。

生‐権力には、本当は異なる現実を、さも表象しているかのような夾雑物に置き換える機能がある。四肢の可動域を細かく測定する障害認定も、学校社会に所属しつづける能力を計るだけのような試験も、問題はそのものの不正確さや過当競争にあるのではない。重要なのは、本人の「生」そのものとはほとんど関係ない能力が、生存のための力の近似値として測定され、比較される点にあるのだ。第4章ではその生成のありようを、生‐権力による〈擬制〉と定義して詳述した。

「新小3生タブレット教材」を非難するつもりはないし、きっと成績が伸びる良い教材だと思う。スクリーン上でバーチャルに用意された体験型教材、タップして回答するペーパー試験を模したドリルなど、まさに、近似を近似するかのような〈擬制〉そのものだから、能力の〈擬制〉値である成績向上にふさわしい。というよりスクリーンでの代替と相性が良いのだろう。そもそも「鏡」は、私たちをあるがままには映し出さない。鏡の中の自像は、左右の反転、見えない裏側、映っていない影など、自分に見えながら実際には少し違う像を結んでいる。本書で〈鏡像〉にたとえたのは、メタファーとして〈擬制〉の理解に直結しそうだからである。

さらに「新小3生タブレット教材」は、〈擬制〉という〈鏡像〉の、もう一つの重要な条件をも説明してくれる。タブレットコースには参加型学習イベントがある。インターネットでつながった全国のコース生と、ドリル問題を解きあってランキングで評価されるようになっている。そもそも比較可能なように〈擬制〉された理由は、多様な存在として生きるリアルな私たちを直接評価できないので、〈擬制〉された〈鏡像〉を評価するためであった。そのさいに重要なのは、〈擬制〉像で評価する作業に、科学的に正しいという「正当性」と「真実性」を帯びさせることである。

私たちの成績は集められ、マスとして正規分布が描かれて、偏差値が算出される。それを成績評価と呼ぶ。私たちは点数による絶対評価よりも、統計学による偏差値の相対評価こそを重視する。A子の「障害認定」が正当性を帯びる理由は、その身体能力が社会生活上問題になることが検証されたからではなく（問題になる場合は社会が悪いのだが）、該当の身体能力が、日本の人口の分布から偏っているからという、その振幅の距離の大きさに起因する。A子にどのような障害があるかを認定するためには、その背後にきわめて正確で標準化されたビッグデータが必要なのだ。A子は、同じクラスで生きている同級生ではなく、国民統計と比較されるのである。

だから、A子に与えられた〈鏡像〉は「社会から見られた像」なのだ。つまり〈擬制〉という機能は、全体社会と比較され、評価され、選別されるための像を描くというものであり、その主体が社会からどう見られるべきなのかを、決めるメカニズムなのである。同じことは、偏差値として、そして学歴として、学校教育全体にもいえる。教育におけるタブレット使用は、（まだ時間はかかりそうだが業者テストなどをとおして）その作用を、著しく効率化し高速化するだろう。

この、社会から見られるための〈鏡像〉を描く仕組みは、第3章および第4章で論じられている〈規準〉と同じものである。〈規準〉とは、私たちを評価するためにその生活情報——私たちの〈鏡像〉——を集積して全体像を——社会の〈鏡像〉を——たいてい正規分布で描き、そこから統計学的に正しく算出されるものだ。私たちにいわせれば、〈鏡像〉で〈鏡像〉を描くという鏡の国の入れ子構造のようになっている産物だが、ライフログをとってビッグデータとして科学的に処理された値としては、著しい正当性を保有している。このテクノロジーは、フーコーがいう「安全装置」そのものであろう。

安全装置は第一に、当該の現象を、一連の蓋然的な出来事の内部に挿入するようになる。第二に、この現象に対する権力の対応が何らかの計算のなかに挿入されるようになる。つまりコストの計算です。そして最後に第三に、許可と禁止という二項分割を設定する代わりに、最適と見なされる平均値が定められ、これを超えてはならないという許容の限界が定められる。(Foucault 2004a=2007: 9)

情報端末やライフログが、〈規準〉を描きだすさまは、すでに本書にて論じてきた。タブレットやスマホが私たちに寄り添って、一生懸命そのログを集めている理由は、私たちに便利なサービスを提供するためではなく、そのログを集積して〈規準〉を算出するためであった。私たちが受けるサービスは、ないしは生－権力による「安全な」管理は、正しく算出された〈規準〉からの偏差によって決まってくるのである

A子によるレッスン2――鏡像は〈自粛〉を映すこと

タブレットが私たちの生きるありようを映しだすさまを〈鏡像〉と呼んでいる段階で、ラカンやメルロ＝ポンティに言及しなかったのは、不自然だと思われるかもしれない。もちろん少しは準備していて、前項の〈規準〉は、スクリーン上での〈鏡像〉を論じるための助走でもある。

鏡像の了解とは、鏡のなかに見えている姿をおのれの姿と認めるところにあります。幼児の世界に鏡像がはいりこんでくるまでは、身体は幼児にとって、強烈に感じられはしても混沌とした現実なのです。自分の姿を鏡のなかに認めるということは、幼児にとっては、自己自身の視

像がありうるということを学ぶことです。(Merleau-Ponty 1969=2001: 76-77)

特にメルロ＝ポンティが論じようとしているのは、自らの視像が、他者＝社会からのまなざしであることを、私たちが理解しているという点である。

幼児にとってむずかしいのは、身体の視覚像と身体の触覚像とが、空間の二点に位置しているにもかかわらず実は一つなのだということの理解ではなく、むしろ鏡の中の像が自分の像であり、しかもそれは他人が見る自分、つまり他の主観に呈示される自分の姿なのだということを理解する点なのです。ここでの綜合は、知的綜合ではなくて、他人との共存にかんする綜合です。(Merleau-Ponty 1969=2001: 85)

すでに〈規準〉について論じた私たちには、自分の〈鏡像〉が、正しく算出された〈規準〉に従って社会から見られるような〈像〉になっている構造が、どれほど生きることの帰趨に大きく影響するか、理解することができる。さらに決定的なのは、社会からどう見られるかという〈鏡像〉を、自分が見続けているという事実である。

生まれながらのA子の聴力は、日本の障害者程度等級に従えば聴覚障害3級の重度難聴(6)に該当していた。そもそも聴力は個人差が大きい能力の典型で、年を取ると急速に衰えるものの一つである。

テレビの音がどんどん大きくなる高齢者も、身近にたくさんいるだろう。もっともA子の場合は、裸耳では日常会話の声を聞き取ることができないため、コミュニケーションのためには手話の知識や、補聴器などのアシストが必要になる。

街中でも、耳に補聴器を付けている人は珍しくなくなってきた。しかし、補聴器に二種類あることはご存知だろうか。もちろん、どの補聴器が良いかはユーザーの聴力によって異なるし、音声を処理するチップ、「耳かけ型」「耳あな型」といった形状・色など分類の仕方はたくさんある。しかしA子たちはそれを、「福祉補聴器」と「高性能補聴器」と呼んで区別している。

一般に、補聴器は高性能であればあるほど喜ばれると思われがちだろう。しかし、日本手話が母語で最低限の音が聞こえれば十分という人など、すべての人が性能を求めるわけではない。何より性能は値段に比例する。一方、補聴器は障害者総合支援法第七六条に基づいて「補装具」として必要経費が支給される。例えば重度難聴向けの「耳かけ型」の場合は、二〇二四年現在で片方七万一二〇〇円という基準が決まっていて、この金額以内におさまる補聴器であれば、経済的負担がなく(一部自己負担がある)入手できる仕組みになっている。そうすると、その金額がひとつの〈規準〉となって、多くの人がその範囲内の補聴器を選択するようになる。その規準にあわせた「障害者総合支援法購入規準該当品」というカテゴリが設けられていて、それをA子たちは「福祉補聴器」と呼んでいるのである。

補装具を選ぶ視点は二つある。まず、補装具は「医師等による専門的な知識に基づく意見又は診断に基づき使用されることが必要とされるものであること」（財団法人テクノエイド協会 2014: 25）であるため、第一に医師や専門施設（更生相談所など）が判定することになる。この視点は、「適切に補装具費を支給するにあたって、基準にあるものの高機能・高額な補装具の希望に対して、はたしてそれだけの高機能なものが障害者本人にとって、社会的・医学的見地から必要不可欠であるのか否かについても身体障害者更生相談所で判定しなければならない」（テクノエイド協会 2010: 23）とあるごとく、〈適正〉に支給をおこなう仕組みを担保している。障害当事者が望むままではないという、まさに他者の、外在的な視角ということになる。他方で、本人の希望という視点も、もちろんある。補装具の必要性はどのような家に住み、生活し、働いているかによって変わってくるが、その内実は結局のところ、本人にしかわからない。しかしその視角は、上記の専門機関の判定にさいして「利用者として何を望むか」、だけではなく、「何を望まないか」というかたちでもあらわれる。

補装具に限らず福祉の世界は、そのような「自分では多くを望まない」＝〈自粛〉の仕組みが働き、それが〈適正〉とされる風潮が弥漫《びまん》している。第3章では、コンピュータ判定を全面的に導入している介護保険を具体例に、福祉領域における〈自粛〉と〈適正化〉について論じた。それを第4章ではさらに詳述するために、「税と社会保障の共有番号制度」であるマイナンバーによる情報化の中に配置して検討した。そこで指摘された特徴は三点にまとめられる。まず、目標となる〈規準〉が与えられていること、次に、周りや社会の視角を意識した自分が、自らと〈規準〉とのズレを意識するかたちで〈自粛〉するようになること、最後に、そのメカニズムが、生活に必要な「生存資源」――まさに、A子の補聴器のような――の分配のために駆動すること、である。
本章で、人口に膾炙した「基準」という用語を用いず〈規準〉としてきた理由は、ここで算出された提示されている目標値が、フーコーのいう規律型権力にきわめて近い働きをしているからである。

規律的な統制システムにおいては、確定されているのはしなければならないことであり、従ってそれ以外の残りは確定されず、禁じられている。(…)安全装置においてはまさに、妨害されているものという視点も義務的なものという視点も採用されません。(…)規律は命令する。それに対して、安全は本質的に言って禁止も命令もせず、(…)ある現実に応答することを機能とする。(Foucault 2004=2007: 56-57)

〈適正化〉は、現代、特に情報社会における生-権力の、典型的なあり方になりつつあるのではないか。それは、安全装置によって生み出された基準値=〈鏡像〉が、私たち一人ひとりを規律的に従わせるというメカニズムであった。だとすると「安全テクノロジーの規律的な駆動」は、情報技術とあまりに相性が良すぎるのだ。ライフログの結果をビッグデータとして蓄積し、算出した値に基づいてサービスを行うというテクノロジーは、私たちを、タブレット・スマホの向こう側に見いだした〈鏡像〉の世界に誘うことだろう。そしてポスト・ビッグデータ社会の中で描きだされる自らの〈鏡像〉は、私たちを「生きる」という現実から萎縮させ、生きることを〈自粛〉させるメカニズムとして、強く作動しかねない。

私たちは、私たちを幸せにするためのテクノロジーを設計しようとしてきた。そのテクノロジーは現在、私たちの生きる場面に鏡として寄り添うことで、私たちの多様な生を〈規準〉に〈擬制〉させ、〈適正化〉に〈自粛〉させるような、生-権力の規律駆動型安全装置となりつつある。〈生きる〉というリアリティにテクノロジーを配置するとは、そういう意味にもなることを、A子は教えてくれるのである。

3　分水嶺はどこにあるのか？――ケイパビリティとアクセシビリティ

テクノロジーの中に描かれた〈鏡像〉には、決してA子の「生きる意味」も、人間の多様性も、映し出されてはいない。おそらくそれはA子にとっては、自らの存在を自らに近いものに置きかえて評価し、同時に、自らの「生」を抑制させる装置でしかなかった。

それでもA子は、タブレットを使うことをやめないだろう。私たちは断言できる。それの理由は、A子が生-権力に屈服して生きる運命にあるからではない。むしろタブレットが生-権力から逸脱したり、生-権力を換骨奪胎したりするための〈技〉を実現する道具にもなるのである。

だからここからは、すでに私たちを包囲した生-権力から、私たちを映し出すことでその忠実な下僕と化しつつあるテクノロジーを、私たちに取り返すレッスンになるだろう。テクノロジーの駆動を、「安全装置の規律的駆動」から逆倒させようというのである。

そんなことができるのだろうか。もちろん、私たちには無理だろう。私たちは永遠に、「生‐権力」が生かすように生き、かつその死には関知できないような対象でありつづけるのだろう。しかし、A子ならできるのだ。タブレット、スマホ、それに関連するテクノロジーは、生活世界に随伴しているからといって、ビッグデータから生まれる〈鏡像〉装置としてしか使えないわけではない。もっとA子が生きるための道具でなければならないし、なることができるのである。

考えてみると、タブレットという「生きることに溶け込みつつあるメディア」が、実際に「規律的に駆動する安全装置」として本格的に駆動するのは、まだ若干先の話である。数年もしないうちに、第Ⅱ部で論じたマイナンバーや介護保険をレセプターとして私たちの身体の認定や能力の評価や、生存資源の配分が、タブレットが寄り添って集めたライフログによって、AIがレーティングしたSCSによって果たされるのかもしれない。しかしA子の場合でさえ、その〈鏡像〉は障害認定や補装具支給といった「古い鏡」の中にしか描ききれていなかった。ウェアラブル・ディバイスやコグニティブ・コンピューティングが、生活世界のビッグデータ化にターゲットを定めつつある現在、今がまさに時機で、分水嶺でもある。

つまり私たちがここから論じなければならないのは、そのようなテクノロジーが示す「生‐権力」の兆候ではなく、そこからどう逸脱し、ないしは反転させるかという〈技法〉の、必要性と可能性なのである。その内実を具体的に教えてくれるのは、やはりA子にとっての「鏡」＝タブレット・

スマホであろう。

A子によるレッスン3——自立・ケイパビリティ・「生のリテラシー」

A子がタブレット・スマホを使いつづけるという確信には、具体的な根拠もある。それが他ののメディアよりも便利だからである。その便利さの意味は、私たちにとっての便利さと本質的に異なる。

タブレットやスマホがセンサーの塊であることはすでに述べた。しかしそれはもちろん、A子のライフログを抜き出すことしかできないわけではない。例えばA子が今まで使ってきたアプリの中に、マイクセンサーで音声を認識する機能を使うものがある。音声にあわせて関連づけられている、A子の両親がタブレットに入れておいた写真や画像が表示されるという簡単なものだ。「本」と発話すると「本」の画像が出て、「お姉ちゃん」と発話すると本人の姉の写真が出る。

難聴のあるA子は言葉を覚えるさいに、「姉」「家族」といった写真や「学校」「Good!」といった絵カードを使っていた。このような手法は難聴児教育でよく用いられる。ただ、多くのカードを持ち歩くのは特に外出のさいに面倒だ。そのため全てをタブレットのカメラで撮って保存し、音声認識で写真や絵カードを検索できるアプリで表示させることにした。これで何枚も持ち歩かなくて良くなったのだが、さらに予想外の使い方をすることもできた。

一枚ごとに取り出していた写真やカードと違って、タブレットは画面上に何枚も同時に表示して、順番にスクロールすることができる。A子と家族は、それを用いて文章を作るようになった。「お姉ちゃん」「朝」「学校」「行く」と音声認識させて写真や絵を並べて表示させ、それをスクロールしながら「お姉ちゃんは今朝、学校に行ったね〜」と会話する。子どもにはわかりにくいその場で起こっていないこと、例えば明日の予定や昨日の出来事なども、このタブレットでスムーズに会話できる。A子はこれを過去形、未来形、抽象的概念などを理解するとともに、コミュニケーションを支えるテクノロジーとして使っていた。別に専用に開発された教材がインストールされていなくても、それは十分に、A子の学習の舞台となり、彼女のコミュニケーション力をアシストしているのである。

この場合、スクリーンをとおしてA子が向かい合っているのは、マイクやカメラによって集められたデータではあっても、ライフログによって描かれた〈鏡像〉ではない。〈鏡像〉と〈規準〉によって導きだされたサービスでもない。向き合っているのはA子自身の能力であり、コミュニケーション能力である。A子は、自らの〈鏡像〉ではなく、自らの能力をアシストするテクノロジー＝アシスティブ・テクノロジーとして、それを使っているのである。

生－権力が情報技術をもちいてA子を、そして私たちを包囲しつつあるはるか昔から、障害・能力・テクノロジーの三項関係は、「できないことができるようになる」ための貴重な方策として、障害当事者自らの手によって切り開かれてきた。実際のところ、特別支援学校のいくつかでは、通信教育どころか学校の正課のカリキュラムで、タブレットを用いた教育活動がたくさんおこなわれている。例えば学習障害や、読み書きが困難な子どものために、タブレット上で漢字をなぞらせたり、読み上げさせたりするなどして勉強している（魔法のふでばこ 2012: 20）。識字が苦手であったり、手の障害で自分では鉛筆での書き取り練習ができなかったりする子どもが、漢字を勉強するための貴重な手段だといえよう。さらには、タブレットを教室外に持ち出して、簡易のプロジェクター代わりに使用している例もある（魔法のふでばこ 2012: 23）。校外学習の場合は黒板がないので、どうしても口頭説明が中心になってしまうため、授業の内容を理解しづらかった知的障害のある子ども、そして聴覚障害のある子どもも、タブレットで文字や図と一緒に見ながら校外体験することで、飛躍的に理解を深めることができる。

これらのタブレットの利用法が、本章でこれまで言及してきた、〈鏡像〉としてのタブレットの例と全く異なるところは、それが障害当事者の「できることの拡張」を、直接的にもたらしているという点である。そのテクノロジーは、「鏡の国」に像を描くのではなく、リアルなこちら側での本人の能力の成長に寄与しているのである。両者の決定的な違いは、例えばセンが論じる「ケイパビリティ」の観点から比較することで、より際立ってくるだろう。

> 潜在能力〔ケイパビリティ……著者註〕アプローチ」は、ひとびとがその人生において達成したいものに関してひと自らが下す（内省的・批判的な）評価に基礎をおいている。（Sen 1985=1988: 5）

ケイパビリティ概念にはさまざまな解釈があるが、A子にそって、ないしは障害のある子どもに即して考えれば、その本質を端的に理解することができるだろう。一般に、身体の能力の制約は、「できること」の減少と同じであることが多い。しかしA子たちのタブレットなどの活用は、A子の語彙を増やし、理解力を増し、コミュニケーションに寄与している。A子自身の自由度、自らとりうる選択肢の幅を増やしているのである。本章で理解するケイパビリティは、まさにこの「当事者本人の自由の幅」に他ならない。

ひとの潜在能力〔ケイパビリティの……著者註〕集合は、ひとがそこから選択を行いうる機能の組み合わせの集合として形式的に表現されている。それはひとが福祉を実現する自由度（別の場所で私が「福祉的自由」と名づけたもの）を表現するものに他ならない。（Sen 1985=1988: 5）

利用者の自由、自己決定の幅の拡張としてケイパビリティを考えれば、タブレットが〈擬制〉する鏡像化装置として駆動する場合と、ケイパビリティの道具として働く場合との差を、明確に際立たせることができる。前者が〈自粛〉をもたらし、後者は〈自立〉をもたらすのである。ひとつのツールが〈自粛〉の装置となるか、〈自立〉の媒体となるかは、それがケイパビリティを増すように使用しうるかによって決まってくるのだ。

問われるべきなのは、目の前のテクノロジーが、私たちが「生きる」さいに、ケイパブルに使用しうるのかという、そのツールの利用法＝リテラシー(7)の問題なのである。A子たちが、自らのケイパビリティを拡張するようにタブレットを使用する営みは、テクノロジーがどのように設計されているかだけではなく、どのように利用可能かという知・リテラシーの観点からも論じられなければならない。リテラシーが、それを決定するのだ。障害当事者が自立生活を実現するための「生活技術」(安積ほか 2012: 13)は、「生の技法」と呼ばれていた。本章のようなテクノロジーの場合、問われているのは〈自粛〉ではなく〈自立〉を実現するような「生のリテラシー」である。〈生きることの情報化〉に包囲されるポスト・ビッグデータ社会のなかで、私たちに求められる力があるとするなら、まさにこのような〈生の技法〉なのだろう。

A子によるレッスン4――参加・アクセシビリティ・「共生のリテラシー」

A子が〈自粛〉ではなく〈自立〉のためにタブレットを使うような〈生の技法〉は、論理的に抽出されうる。しかしそれだけでは、生‐権力とテクノロジーの結託の、規律的駆動という半面しか解けていない。生きる場におけるタブレット・スマホは結局のところ、A子の〈擬制〉を〈規準〉として算出し続ける安全装置となる運命なのだろうか。それを回避するロジックはないのだろうか。その可能性は、このテクノロジーを、自分以外の存在とリアルにアクセスする地平＝メディアとしての利用法に隠されている。

聴覚障害のある人、ろう者と難聴者の多くにとって、スマホは「天使のメディア」だといわれている。私たちの多くはスマートフォンを、その名のとおり電話＝音声メディアとしては使っていない。メール、LINE、その他のSNSを挙げるまでもなく、それはフォンの名とは裏腹に、もっぱら文字をもちいて情報を収集し伝達するための「文字メディア」になっている。スマホやタブレットは、もっとも主要なインタラクティブ・メディアを、音声メディアから文字メディアに変えたともいえるのだ。

それまでの主要なメディアは「電話」だった。電話は聴覚障害者にとって「悪魔のメディア」である。それが普及するまでは、事務所や店舗で働いている難聴者は少なくなかった。対面は手話と筆談でこと足りたし、肝心の注文票や遠隔地とのやり取りは「手紙」だったからである。光の早さでリアルタイムに交渉できる電話が生まれ、その回線が神経のように世界中に張り巡らされ、すべての事務所に電話が設置されるようになってはじめて、聴覚障害者は「働けない障害者」となり、労働市場から切り離されるようになったのである。

ところがスマホやタブレットは、そのリアルタイム・インタラクションのありようを劇的に変えた。すでに私たちのコミュニケーションの大半は、電子メール、LINEといった「文字メディア」によって媒介されている。スマホやタブレットは聴覚障害者にとって、社会のひとりひとりがコミュニケーションを可能にしてくれるメディアを持ち歩いている時代をもたらしたといってよい。現在、多くのろう者・難聴者が、労働市場に復帰しつつある。

ここで重要なのは、スマホやタブレットは、決して聴覚障害者のための文字メディアとして開発されたわけではなかった点である。そもそもタブレットやスマホに類するものを構想したどの開発者・設計者・デザイナーも、スティーブ・ジョブズでさえ、それが文字メディア中心の社会に再編成することを予見しなかった。それを獲得し、自家薬篭中のものとして使いこなし、自らの社会参加のためのメディアとしてのかたちを与えたのは、ろう者・難聴者じしんの気づき、工夫と試行錯誤という、まさに〈生の技法〉と呼ぶべきものの賜物なのである。

もし機会があれば、身体に障害がある子どもたちがパソコンを使おうとしている場面を、ぜひ一緒に手伝ってみてほしいと思う。キーボードやマウスが使えない障害者のパソコン利用といわれると、多くの人が専用の入力機器や音声認識など、大仰な装置を想像しがちだ。しかしパソコンでよければ、そこに接続できる入力機器はたくさんある。マウスではなくトラックボールなら使えるという人なら、キーボードも外してしまってOSに付属しているスクリーンキーボードを使えばよい。

なぜこうしてまで彼女ら彼らは、必死にパソコンを使おうとするのだろうか。彼ら彼女らが豊かなリテラシーを積層しつづける目的は、〈自立〉をめざすケイパビリティだけでは説明できない。〈自立〉なら他にも役立つテクノロジー——それこそ、実業系の勉強など——がたくさんあるからだ。その目的は、一点に接続されている。パソコンも、タブレット・スマホも、その背後でつながっているのは「鏡の国」だけではない。そのメディアは、インターネットという社会との接続扉でもあるのである。

何かのメディアにアクセスしなければ、人は誰もメッセージを送ったり受け取ったりできない。（…）すなわち、アクセスのタイプとアクセスに要する手順がメディアごとに異なっているという事実はあまり知られていない。メディアが異なれば、確立される社会的情報のシステムの、タイプや数は異なりがちである。そのため、ある新しいメディアが広範に使用されるようになると、社会的情報の「共有の度合」が増加したり減少したりすることがありうる。あるメディアは、異なる人々ごとに分離された情報システムを生み出すことになるかもしれないし、また別のメディアは、多くの異なる人々を一つの共通の状況群に包括することになるかもしれない。

（Meyrowitzb 1985=2003: 148）

上記の、やや長い引用は、メイロウィッツが論じた、メディアについての三つの中心課題である。ひとつめは、私たちが何かにアクセスしようする場合には、メディアが必要だという自明の話である。ふたつめは、そのメディアを用いて私たちは情報を共有したり分離したりすること、最後は、このような「アクセスのありよう」が、メディアの意味なのだということである。メイロウィッツの主張は、メディアを考察するときに、それが実現しているアクセスのありかた＝アクセシビリティに着眼する必要性を示唆してくれる。

情報システムの社会的重要性は大部分、このシステムが規定している他者へのアクセス・パターンにある。状況（メディア介在のものもナマのものも）は参加者を含めたり排除したりする。そのため、情報は多くの場合その内容によって定義されているが、この研究は情報システムの構造と、異なる人々が類似もしくは相違した社会的情報にアクセスする程度とにいっそうの関心を払っている。（Meyrowitzb 1985=2003: 360）

障害者にかんする研究においては、一般にアクセシビリティは、該当のハードウェアやコンテンツにバリアがなく、ユーザーの接続が可能かという意味で使われてきた。しかしメイロウィッツがメディアを「特定の方法で人々を含めたり排除したり、統合したり分断したりする、ある種の社会的環境」（Meyrowitzb 1985=2003: 354）と指摘しているように、メディアが自分と人とをつなぐテクノロジーなのだとしたら、そのアクセシビリティは、単にメディアのハードやコンテンツに接続しうるかだけでなく、そのメディアによってどのように、そしてどれほど接続が可能になるのかという、アクセスの「質」やその「深さ」についても論じられなければならない。その意味で問題は、メディアを使って、どうアクセスするかというリテラシーなのである。

アクセシビリティという概念に着目すれば、安全装置型の〈鏡像〉メディアと、A子たちのメディアの利用法に、決定的な接続様式の差があることを認識できよう。ライフログやビッグデータのメディアとしてのタブレットの場合、それをとおして私たちがアクセスしているのは、あくまで〈擬制〉された〈鏡像〉でしかない。私たちはメディアをとおして他の存在や社会とつながっているように見えるが、それは〈擬制〉された接続なのである。

A子や障害のある子どもたちがメディアを希求してやまない理由は、他でもない、社会にアクセスするためである。メイロウィッツはそれを「参加」と呼んだ。メディアは空間のアクセシビリティを制御して、参加の度合いを決めるという機能ももっている。〈擬制〉型と〈参加〉型の接続形式の差を、私たちは論じなければならない。

アクセシビリティという視角は、生‐権力の安全装置としてのメディア駆動が、〈擬制〉的接続となることを論証する。それこそが〈鏡像〉しか映せないメディアに成り果てる原因だといえよう。一方で、A子たちのメディアは〈参加〉型接続を実現するものとして活用される。もちろん、障害のある子どもたちにとって、そのリーチがどこまで届くかはわからない。社会参加そのものは、さまざまな環境因子や社会的文脈に左右される。しかしまず、そこまで届けることができるだけの奥深いアクセシビリティが確保されていなければ、メディアによって他者と共有できる可能性がなければ、同じ地平に立つこともできないのである。メディアの届く先が〈鏡像〉に〈擬制〉されていては、いつまでも私たちは社会参加できないだろう。

私たちはここから、自分たちが生み出し、共有し、活用するメディアというテクノロジーの意味を、もう一度学び直さなければならない。アクセシビリティの観点から見れば、そのテクノロジーが〈擬制〉型接続のメディアに落ちるか、〈参加〉型接続のメディアとして役に立つかは、やはりメディアの使われ方＝リテラシーによって決まってくる。A子たちに必要なのは、目の前の技術を

〈参加〉型メディアとして活用するリテラシーである。先の〈自立〉の技法を「生のリテラシー」と呼んだ実績にそろえれば、社会と、他者と奥深くまでつながろうという〈参加〉型接続をめざすメディアの利用法を、「共生のリテラシー」とすることに、違和感はないだろう。A子たちがタブレットメディアを前に試行錯誤し、積み重ねている経験知は、このような「共生のリテラシー」をもあわせもった〈生の技法〉なのである。

4　コンヴィヴィアリティ・メディア・リテラシー
――Through the Looking-Media, and What We Found There.

私たちの生きる未来のことはわからない。ただし、それが「予想外」と「多様性」であざやかに彩色されていることだけは保証できる。八歳になろうとするA子もおそらく、本章で危惧してきた課題を、私たちが想像もつかないかたちで克服して、たくましく生きていくのだろうと祈っている。本章の議論は、そのようなサバイバルのためのリテラシーに帰結していく。それでは、「多様性」や「予想外」のためのリテラシーは、現前するタブレット・メディアで、ないしはライフログのビッグデータによるリコメンド、さらにはAI（人工知能）のディープラーニングによるサジェストの下で、育てていくことができるのだろうか。私たちの「学び」は、何のためにあるのだろうか。だから障害児とテクノロジーというテーマは、特別支援教育やインクルーシブ教育だけの問題ではな

いのである。(8)

キャロルのA子は一一手目でクイーンを取り勝利したが、チェスの世界チャンピオンは二〇年も前にAIに屈した。二〇一六年に〝人類最後の牙城〟(完全情報ゲームに牙城も何もない気がするが)囲碁の天才棋士が敗北したAI「AlphaGo」は、もともと人間の脳のモデル化からはじまったディープニューラルネットワークによってできている。それから二年もたたない二〇一七年には中国においてSCSや類似システムが普及し、第5章で論じたようなAI統治を予見させている。二〇一五年には義足の走り幅跳び選手が、ドイツ陸上選手権でなみいる〝健常者〟選手を破って優勝し、「ドイツでもっとも遠くに跳んだ人間」になった。そして日本で導入されたマイナンバー、特定健康診査、そして介護保険のビッグデータ化は、すでに第3章から第4章で触れたように、私たちの〈生〉に密着したポスト・ビッグデータ社会を現出させつつある。

私たちは、テクノロジーが明確な一線を越えつつあることを、より強く認識するべきだと思う。私たちが生きているのは、テクノロジーが有史以来はじめて、人間の存在とその「生きる」意味に、隣接し越境しようとしている時代なのである。私たちの身体や生活の逐一が、情報技術によってログされ、ないしはサジェストされるようになるのに、A子の成人を待つまでもないかもしれない。研究者や教育者が真面目に「生きる意味」を考えるべきなのは、この潮流をふまえてのことであろう。

本章ではその奔流に生まれるテクノロジーが、生-権力ととけあって新たな社会=ポスト・ビッグデータ社会を形成しうる可能性を、〈鏡像〉作用を抽出しながら指摘した。それを、安全装置が規律的に駆動する〈規準―適正化社会〉と位置づけた。おそらく私たちは情報社会のただ中で、〈自粛〉し〈擬制〉され、自らを愚直に適正化しつづける主体となりつつある。

一方で、「鏡の国」を逆倒する方法も、何名かの論者の力を借りながら提案した。おそらく鍵となるのは、〈自立〉のためのケイパビリティと、〈参加〉のためのアクセシビリティである。私たちがメディアによって、そのように利用するリテラシー＝〈生の技法〉をもちうるかが、帰趨を決めると考えた。

このようなメディアのありようを、先に言及していたのが、イリイチの「コンヴィヴィアリティ・ツール」なのだろう。

産業主義的な生産性の正反対を明示するのに、私は自立共生（コンヴィヴィアリティ）という用語を選ぶ。私はその言葉に、各人のあいだの自立的で創造的な交わりと、各人の環境との同様の交わりを意味させ、またこの言葉に、他人と人工的環境によって強いられた需要への各人の条件反射づけられた反応とは対照的な意味をもたせようと思う。私は自立共生（コンヴィヴィアリティ）とは、人間的な相互依存のうちに実現された個的自由であり、またそのようなものとして固有の倫理的価値をなすものであると考える。（Illich 1973=2015: 38）

そのキーワードの魅力に反して、イリイチは「コンヴィヴィアリティ」の内実を十分に論じきれていない。本章はケイパビリティとアクセシビリティの概念を参照して、その内側を説明し「コンヴィヴィアルなメディア」を析出する試みであったといえる。

加えて、論理的帰結として一つの課題と、一つの可能性を指摘することができそうだ。コンヴィヴィアルなメディアは、それを活かすリテラシーによってはじめて私たちの生を支えうることは、すでに述べた。コンヴィヴィアルを構成するケイパビリティもアクセシビリティも、私たちの「生」が多様で、予想外で、それゆえ自由にあふれることを引き受けるものである。おそらくイリイチはその「余白」の広さと深さを、コンヴィヴィアリティと呼んだのだろう。精密なアーキテクチャ全盛のこの情報社会において、「余白」のためにあるなどというような、不完全で未完成なメディアなどという設計は、デザインできるのだろうか。したいと、誰が思うのだろうか。そしてそのためのリテラシーは、教育できるのだろうか。コンヴィヴィアルなメディアが実現不能だとしたら、やはり私たちは、「鏡の国」のタブレットによって教導される対象なのだろうか。

一方で私は、あまり心配していない。それを回避する可能性も、本書では明確に指摘できつつあるからだ。私たちは社会のためなどと大仰な設計や教育に邁進せずに、ただ、A子のためにつくり、A子のために使えばいいのである。A子の存在が広がり、深まるようにテクノロジーを使い、知識を教えるということだけにこだわっていれば、必要なことはA子の方が教えてくれるのだ。その上でA子は、自らがもっと広く人とつながり（＝アクセシビリティ）、もっと深く社会と自分を知る（＝

ケイパビリティ）ために、自らが生き残っていくためのリテラシー＝〈生の技法〉を得ていくことだろう。私たちに求められているのは、メディアを、そして教育を、そのための場（余白を含め）にできているかどうかでしかない。

何もかもを鏡に映し込もうとするから、「鏡の国」に生きることになる。「生」とテクノロジーの隣接に葛藤する私たちが生き残る〈技法〉は、はるか昔から深刻な社会問題に直面し、それゆえ自らの存在をかけて〈自立〉と〈共生〉のリテラシーを鍛え上げてきた弱者、障害のある人たちのリアリティの中にあるのではないか。私たちはもっと気づき、もっと学び、共に生きることができる。A子は、そのことを教えてくれる。

終　章　〈情報弱者〉となる私たちのために

1　〈情報弱者〉の〈生の技法〉

彼のキーボードの横には、いつも割らないままの割り箸が一膳、置いてある。何の変哲も無い一〇〇膳一〇〇円で売っているような割り箸だが、細くなっている先の方に、ティッシュペーパーを一枚、丸めたものがゴムで止められている。この、誰にでも作ることができそうな割り箸とティッシュの組み合わせが、彼にとってパソコンを使う「魔法の杖」になっていると言われると、驚く人が少なくないだろう。

筋ジストロフィー症を患っている彼は、その難病のせいで腕を持ち上げることができない。筋力が弱くても、キーボードを押すことはできるが問題もある。自分の目の前のキーボードを見てみてほしい。文字を打つために腕をホームポジションあたりに置くと、キーボードの端の方を打つためには、腕を持ち上げて動かして押し、持ち上げたまま中央に戻ってくる必要がある。ホームポジション近くに手を置いたままでは、端の方のキーを押すことができない。そして皮肉にもエンターや半角全角といった重要なキーほど、キーボードの端の方にあるのだ。

障害のある人がパソコンを使うといわれると、大掛かりな装置や、特別に開発された機器を想像するかもしれない。キーボードの場合も、片手でも打てるような特殊配列や、音声認識ソフトなどを使うことを検討する人もいるだろう。Assistive Technologyの支援の場面で、私自身もそのような、便利だがそれなりに金額もかかる、専用装置の導入を手伝ったこともあった。

しかしこの「割り箸」は、私たちに、メディアを利用したり活用する局面で、本当に必要なものは何かを教えてくれる。量産されていない片手キーボードは高価なことが多いし、音声認識なども結局、キーボード操作が必要になることが多い。それこそ補助的に手に持ってボタンを押すための専用の指示棒なども売ってはいるが、それは高価で、毎日使っていると持ち手やゴムの部分がどんどん汚れてしまったりする。その点、「割り箸とティッシュ」の組み合わせは最高だ。専用キーボードはもちろん、プラスチックとゴムでできた指示棒よりずっと軽量だし、木の感覚は馴染みやすくて使い続けてもまったく苦痛ではない。なにより、断然安上がりだ。そして壊れたときにはすぐ、毎日でも交換可能で、まさに清潔そのものだ。

「割り箸でいい」。こういう発想は、まさに当事者ならではの視点なのではないかと思う。何か問題に直面した場合、専門職はたいてい、プロ仕様の大仰な機材や方法で解決しようと考えがちである。もちろんそれでも問題は解消できるのだが、それは高価だったり、維持に専門家の関与が継続的に必要だったりすることが多い。清潔であることも、もっとも重要にもかかわらず見落としやすい観点だ。それは医学的に衛生的だという意味だけではない。福祉業界では、車いすにしろ義足にしろ、毎日使う身体の一部である補装具は、まさに毎日使うため交換不可能であるからこそ、清潔性の維持がどうしても難しく、なおざりになってしまうことが多い。毎朝アルコールで拭けばいいという問題だけではないのだ。毎週月曜日ごとに取りかえて清潔かつ気持ちもリフレッシュして臨む。こういった観点は、まさに本人であり、ユーザーであり、問題の当事者である主体ならではの発想なのだと思う。

第6章で述べてきた「リテラシー」は、このような障害当事者による、当事者にとっての試行錯誤と工夫の塊である。自らが生きていく中で、解決し難い課題に直面し、資金や資源が不足する中で、当事者が自ら選択し実施してきた戦略そのものだといえるかもしれない。実際のところ、障害者の生活は、このような当事者の生きる知恵やリテラシー=〈生の技法〉が、いくえにも積み重なってできあがっているともいえる。実際の福祉現場や生活支援は、そういった目に見えにくく、固有で、事前に予測しづらいものの積層でできているのだ。

第6章では、そのようなリテラシーの本質的な意味……コンヴィヴィアル性について論証したつもりだ。その内容を再整理すると、障害がある人にとって、その人が生きていく場で求められるリテラシーは、おそらく以下のような特徴を要件とするだろう。

A）それが、固有であること

そのリテラシーが必要な理由は、各自の身体や精神が、あまりに多様で、容易には均一化しがたいというところから生まれている。割り箸が合う人も合わない人もいる。ひとりひとりに完全にあわせる方法などないからこそ、それぞれが固有のリテラシーを育てなければならない。

B）それが、予想外であること

当事者にどのようなリテラシーが必要かは、事前に予想することができない。それは専門家などの支援者はもちろん、当人にとっても予想外の連鎖となる。割り箸にいきあたるまでは試行錯誤があり、いくつもの方法が試された結果、「割り箸」という意外な結果にたどり着く。事前に予測が不可能で、準備ができないからこそ、型にはまらないその人ならではのリテラシーを生み出すことができる。

C）それが、主体的であること

さらにこのリテラシーに特徴的なのは、その生み出され方である。割り箸を思いつき使い続けることを発想するにあたって、支援者や専門職の出番はない。まさに当事者が思いつき、そうしようとしつづけるだけである。これは、リテラシーの主体的なあり方の、もっともわかりやすい例だといえよう。

〈情報弱者〉としてメディアと社会に向き合うという出発点からはじまる戦略・ストラテジーは、固有で、予想外で、そして主体的なメディアのリテラシーを生んでいる。前章と本節が指摘してきた、障害当事者がメディアを獲得し使っていくための、コンヴィヴィアルな知のありようは、おそらく私たちが、私たちのために情報ディバイスを得て使っていくための道しるべになりえるだろう。ただし重要なのは、私たちが生きつつあるのが、ポスト・ビッグデータ社会だという点である。情報テクノロジーが有史以来はじめて、人間の存在とその「生きる」意味に、隣接し越境しようとしている時代なのだ、という点である。私たちの身体や生活の逐一が、情報技術によってログされ、ないしはサジェストされる、このビッグデータ社会という時代においても可能なのか、という点だ。一つの極点に達しつつあるポスト・ビッグデータ社会という環境と、その中で「生きていく」という目的との交錯の現場においても、そのような〈情報弱者〉の〈生の技法〉は可能なのだろうか。

2　〈生きることの情報化〉・「アーキテクティズム」・「リテラリズム」

情報化に、良い悪いもない。情報技術が発展したり、私たちに関わる何かが情報で記述できたり制御できたりすることには、あたり前のように良いことも悪いこともある。それは、〈情報弱者〉にとってもそうであった。本書で主として考えてきた、典型的な〈情報弱者〉と考えられる障害者も、むしろ〈情報弱者〉だからこそ、情報化の恩恵を受けることができたし、そのためのリテラシーを幾重にも積みかさねてきた。

しかし、そのことと、私たちの生活に、情報技術が浸透していくこととは、区別して考えられなければならない。本書の主眼は、まさにその点を描き出すことにあった。第3章から第5章までの議論は、そのようなポスト・ビッグデータ社会における〈生きることとの情報化〉が、どれほどの意味を、可能性を、そして不可能性をもつかについて、論点を重ねながら、時には行ったり来たりして慎重に描いていく作業であったといえる。

私たちは、あるサービスやテクノロジーを論じようとした場合、その有用性や有効性にばかり気を払いがちだ。しかし、有用な装置や技術が間違いなく有効に機能しているからこそ、利用者を困難にするということがありえるのだ。もしも私たちが、情報技術の社会的な適用や、その意味を誠実に論じようとすれば、有用性や有効性だけではなく、それが利用者にとってどのような社会的意味をもっているのかを、精確に議論しなければならない。

例えば看護・介護領域では、ベッドサイドにＩＴを活用してセンサーを設置する「離床センサー」が流行し、認知症患者の夜間徘徊など、「問題行動」を見守るために設置されている。ＩＴ化した高性能商品がブームになっているが、センサーが設置されたからといって問題行動がおさまるわけではない。安易な見守りは抑制と同義だという批判もある。第4章・5章で言及した「社会保障・税番号制度（マイナンバー）」が、あれほど問題視されていた「国民総背番号制」と比べ、社会保障制度の拡充という名の下にあっさり導入された事実を省みても、生活管理への無批判なＩＴ導入を、どれほど看過してはならないではないことか、よくわかるだろう。マイナンバーのシステムも、医療や福祉の情報をビッグデータとして管理する情報技術の進化の賜物だったのである。

一方、前節や第6章で言及したのは、テクノロジーによって「当事者のあり方が変わる」という事例であった。例えばデジタル放送が普及して以降、周波数の空いている帯域を活用した「字幕放送」が容易になったのも、そのひとつと考えることができる。字幕（Closed Caption）というところ、難聴などの聴覚に障害がある人向けの情報保障という理解が一般的だったが、映像の早さについていくのが難しいお年寄り、教育番組を観る子どもたち、言葉の聞き取りが不自由な人たち——英語の場合は私たちも——が情報を得る手段として、予想外に多様に活用されていることがわかってきた（柴田ほか 2016b）。第6章で言及したタブレットにしても、それを自閉症スペクトラム（ASD）の子どもたちがもちいることでコミュニケーションを取り戻すという例（柴田 2015）も散見されている。

ポスト・ビッグデータ社会における〈生きることとの情報化〉におけるテクノロジーのありようの違いは、私たちに、情報技術・メディアの位置づけを、根本から反問させる。その立場は、明確に二つに分裂しうるのではないか。

ひとつは、「アーキテクティズム」ないしは「デザイニズム」とでも呼ぶべき立場である。利用者が便利なように、安全なように、生きやすいようにテクノロジーを設計することで、問題の解決を図るという方法は、それはそれで筋がとおっているようにみえる。しかし、〈生きること〉からみれば、そのような「良心的な設計やデザイン」そのものが、利用者を疎外するということさえありえるのだ。第3章の〈自粛〉、第4章の〈擬制〉、そして第5章にいたって全体像を論じることができた〈適正化〉などは、まさにその、生が情報化されることで現出する〝鋭角〟そのものであったのである。

一方で、第6章のタブレットや、ここで述べた字幕や「割り箸」の例が示していたのは、当初の設計やデザインを超えて、ユーザー自身がそのメディアの可能性を理解し、予想外の利用を生み出しているという例である。〈固有〉で、〈意外〉で、〈主体〉的な、当事者によるメディアやテクノロジーの組み替え、活用といったリテラシーを重視する立場を、「リテラリズム」ないしは「ユーザリズム」と呼ぶことができるかもしれない。

すべての議論がきれいに二分できるわけではなく、順列・程度の差であることは認めても、〈情報弱者〉としての視角が、どちらの「地平」に立脚しているのか、立脚するべきなのかについては、厳然と省みられるべきだろう。なにより〈生きること〉の領域においては、利用者の問題を設計やデザインの問題のみで語ることが、患者・当事者の自己決定や生活を制約することがありえる。それぞれに〈固有〉なものと、標準化することで交換を活性化させるデザインとは、本質的に拮抗する。だからこそすべてを包括しようとする情報デザインは、結果として生きることの〈自粛〉を生まざるをえない。私たちは、「自由な遊び」を織りこんだアーキテクチャを生み出そうとして、それが単調で飼いならされた児戯しかもたらさないことを何度も痛感してきた。当事者の〈予想外〉

な発想や生産は、管理されたアーキテクトの外にしか生成しえないのだ。そして私たちが勇気をもって主体的に生き続ける余地を生むには、この世界の資源は限られすぎている。もっとも強調しておくべきなのは、ビッグデータという技術に、ないしはこれまで本書で言及してきたライフログ、モバイル・ディバイス、AI、タブレットといったテクノロジーに、何か欠陥があったり問題があったりというわけでは、まったくない点だろう。別にテクノロジーが中立とか無色だという思想を強調する必要もない。ポスト・ビッグデータ時代を論じるさいには、それはどちらでもよい。最先端の情報技術が、意図的にないしは偶発的に悪の帝国を生み出すということもないし、権力者の悪意を誘発したりする、という話でもない。情報社会の論点はいくつもある。ポスト・ビッグデータ社会では、どんなに巧みに設計され、どんなに安全に実装され、どんなに善良に運営されたとしても、それは私たちの生を〈擬制〉し、その〈自粛〉を強い、私たちを〈適正化〉するように機能する。その中で生きる主体を〈弱者〉とせずにはいられないということについては、他の論点にまして、考察しておくべきなのである。

なぜ、ポスト・ビッグデータ社会が、そのように成立する運命にあるのかも、本書では論じることができない。偶然かもしれないし、必然かもしれない。おそらく主因が、「技術革新」＝私たちの内側に浸透し存在をデジタルとして把握するとともに、その大量の情報をストレスなく整理するだけではなく、分析や予測を可能にする知性に擬されるほどの処理力を備えたテクノロジーの進歩と、「資源の臨界点」＝生存資源が限界に近づき、福祉予算やその人材が枯渇したりすること、より総体的には人類の生活環境の向上ないしは人口管理の失敗（増加・減少を含む）の中で、無限の外部資源を収奪し老廃物を投棄する社会システムに限界がきたりすること、の両方が同時に成立しつつあることまではわかっている。ただ、それが人類史として偶然なのか、どちらかが原因でどちらかが結果という因果的必然があるのかは、まだわからない。

だから本書はその意味で、無自覚にないしは賞賛を込めて私たちが迎え入れている「ビッグデータ時代とその次の展開」について、その本質の一端を指摘するだけという〝入り口〟論にとどまっている。それでもここまでで、「情報社会で生きる」ということと、「生きるための資源が限られる」ということが同時に起こる社会に、何がおこるのかは、明示できたのではないかと思う。その中では、情報技術は私たちに、制御可能な〈生〉しかもたらさない。それが、生‐政治によって〈適正化〉された、私たちの生なのである。

もちろん、それでいい、ということはまったくないし、まったく無抵抗ということも、私のポリシーに反する。重要なのはすでに述べたように、ポスト・ビッグデータ時代を迎える中で、アーキテクチャはますます不可視となる点だった。ポスト・ビッグデータ社会において私たちは、その生‐権力の作動局面を自覚することができない〈情報弱者〉でありつづける。ただし、それは私たちが、そのアーキテクチャを信仰しているから――それがやさしく便利に、慈愛にみちて安全に、真理のもとで適正に――生かしてくれると思い込んでいるからだ。便利になったからといって、信仰までする必要はない。強者にしてくれるように装って弱者たらしめるものは、この種のテクノロジーにかかわらず、あらゆる道具や術につきものだ。理想のアーキテクチャを神のように求めるのではなく、疑いながら自分なりに賢く使っていけば——そのためのリテラシーをちゃんと学んでいけば——いいのである。それが、本書でいう〈生の技法〉である。

3 〈情弱〉の社会学——〈生の技法〉とその「学び」にむけて

最後に、〈生きることの情報化〉と〈情報弱者〉の〈生の技法〉の関係を明確にできるような思考実験を示して、本書のとりあえずのまとめとしよう。

> ある土地には、「裕福な人々」と、「貧しい人々」が住んでいます。ある時、その土地で深刻な干ばつが起こり、飲み水が不足しがちになってしまいました。さて、どちらの人々の方がたくさん死ぬでしょうか。
>
> A：裕福な家の人々の方が死ぬ。
> B：貧しい家の人々の方が死ぬ。
> C：水は独占し難いので、どちらも同じように死ぬ。

このクイズこそ、第1章のものにもまして情報量が足りない、と思われるかもしれない。しかしそれは情報が不足していては何も考えられず、そのため〈情報化〉の中で自らの生を簡単に喪失するような、情報強迫性障害という意味での〈情強〉の視点だ。限られた資源の中で巧みにリテラシーを積み重ねて生きる社会的マイノリティという意味での〈情弱〉の視点から、騙されたと思ってももう一度考え直してみてほしい。飲み水が不足すると、私たちはどう生きるようになるだろうか。飲み水の量と質は、どうなるだろうか。それでも不満な方々のために、もうひとつだけヒントがあった方がいいだろうか。思考実験としてはこの情報は必要ではないけれど、現実的な立証を実現する。ある土地を、「ジブラルタル」に置き換えてもいい。

地中海の入り口であるジブラルタルにはユニークなところがいくつもあるが、今回の思考実験で必要なのは、「地理的に飲み水が不足しがちであったこと」「一八世紀にイギリス領になって以降、住民の人口動態（出生死亡、転入転出など）の記録がほぼ残っている」ことだ。だから渇水によって人口動態がどう変化したかも記録されている。この実験はあくまで思考の中にあるけれど、現実としても立証できるのだ。

この思考実験を普通に考えると、水の奪い合いが起こって、裕福な人の方が水を独占し、貧しい人の方がたくさん死ぬと考えがちだ。しかしジブラルタルで確認できるのは、まったく逆の事態である（更科 2018）。水資源が限られているジブラルタルでも、裕福な層は自前の井戸を掘ったり貯水池を整備したりしてきれいな水を使うことができ、ふだんの死亡率は低いままであった。「貧しい人々」は質も量も悪い水資源しかなく、死亡率は高い。ところが渇水時には、話が変わる。比較の問題ではあるけれど、気象条件と地形などによって決定される水環境を、完全に独占することは難しい。「裕福な層の水環境」も、「貧しい層の水環境」も、程度の差はあれ水量は減り水質も悪化する。ジブラルタルでは、日々きれいな水をふんだんに使う生活をしているが故に、わずかな水環境の悪化に敏感に反応してしまう「裕福な人々」の方が死亡率が上がり、水質の悪化や水量の減少に耐性が高い「貧しい人々」の方は生き残る可能性が上がって、死亡率の上昇は比較するとなだらかなのである。

このロジックはジブラルタル以外でもほぼ同じだし、おそらく、洪水を浴びるかのようにビッグデータ社会を生きつつある私たちにとっても同じなのではないか。情報に依存している人々は、情報が限られたり、変質したり、悪化したりすることで簡単に、その〈生〉が左右され、変質され、さらには奪われることにもなる。そもそも入手できる情報に制約のある〈情報弱者〉だからこそ、そのような変質や悪化に対して抗して生き残る力を蓄えることができる。ポスト・ビッグデータ社会における〈情報弱者〉とは、アーキテクチャそのものの本質的問題を自覚できず、生きることが追いつめられる私たちすべてといってもよい。だから私たちすべてが、先人としての社会的弱者から、その〈生きるわざ〉を学ぶ必要があるのだ。自らが〈情報弱者〉となってはじめて、マイノリティとしての経験・知恵の重要性に気がつくことができるのである。〈情報弱者〉のリテラシーとその蓄積の戦略は、〈生きることの情報化〉が急速に進展する中で、私たちが私たちとして生きるために必要な技法と戦略を、教えてくれるのである。

「情報強者」をきどるから私たちは、アーキテクチャの上で周章狼狽し右往左往するのだ。「生きているつもり」が「ただ生かされ」て、やがて生きることに疲れ果てていくのだ。主体的に情報を活用して生きているつもりが、いつのまにか情報に強く依存して生かされてしまうありさまを〈情弱〉と呼んだ方が、おそらく正鵠を射ている。ポスト・ビッグデータ社会においての〈情報弱者〉とは、アーキテクチャそのものの構造的で本質的な問題を知ることも知る気もないまま、無自覚に追いつめられて生きる私たちすべて、といってもよい。

一方で、これまで社会的弱者とされてきた人々は、ともすると生かされなかったり、生きる意味を剥奪されそうになる中で、それに抗したり回避したりしながら、巧みに生きる技を重ねてきた。「A子」の例にしても「割り箸」の例にしても、むしろ自らが外部に、社会的に依存しなければならない状況だからこそ、その依存を自覚しているからこそ、そのなかで鮮やかに主体的でありえた。その技（わざ）こそが、ポスト・ビッグデータの社会の中で生きようとする私たちに求められている。それを〈生の技法〉と呼んだのである。

本書の目的は、そのような〈生の技法〉の重要性と必要性を、現下で再発見し、向後に投影することであった。だから残念ながら、その〈生の技法〉の詳細な定義も重厚な実態も、ここですべてを披露することはできないし、その準備もない。ただ、本書ですでに言及した素材の範囲でいえば、すでに情報社会に蔓延し、今後さらに増殖していくような、安易な同情や共感といった感覚的だったり本能的だったりするものは過大視しない方がよさそうだ。第1章での議論を思い出してほしい。私が知りうるかぎりの障害のある人は、同情や共感を避けたり頼らなかったりするかたが多い。それはかえって依存や従属を生む。〈生の技法〉において重要なのは、むしろ徹底した理屈、論理、考察の方だった。今、社会的な弱者とされてしまう人も、現在、将来の〈情報弱者〉も、直面しているのは社会的に構築された問題である。だから、その社会的な問題に感性的に反応するのではなく、冷徹に問題構造を把握し、限られた中でも論理的に回避したり克服したりする意識の中にこそ、生き抜く技——〈生きる技法〉——が生まれるのではないかと考えている。

考えてみると、このような〈生きる技〉は、「科学」とか「学問」と呼ばれる思考様式によく似ている。私たちにとって「考えること」は、これまで一度も「正解を検索すること」を意味してこなかった。科学は、最初からすべての情報を与えられた中で存在するわけではないし、そうしてきたわけでもない。むしろ「未知」のものに、限られた環境の中で、一定の合理的で妥当な判断を下す論理力だといえる。そもそも私たちの思考や論理力は、限られている条件の中で私が出会うことができた、妥当な結論を出すために生まれ鍛え上げられた。たいてい、この絶望しかねない社会の中で、巧みに生き抜いている障害のある人たちは、その瞬間瞬間に、きわめて合理的で妥当な判断をくだしていた。その意味で、尊敬すべき学者であり、科学者だったと思う。

〈生きること〉そのものが情報として外在化する社会において、私たちが意味をもちえて生きるための〈生の技法〉に、学問だの科学だのといった、理屈っぽく萎びたような話がでてくると、やや意外に感じられるかもしれない。おそらく問題は、その意外さや違和感をそのまま放置して、次の新しく心地よい情報を求め願うところにある。〈生の技法〉は、その瞬間の「自省」によってのみ、試され鍛えられる。[1] だからおそらく、情報社会の〈生の技法〉は、なによりもすべての情報弱者のためにある。

コラム　同じ空なのに――「相模原事件」とAlohaの〈技法〉

東西北の三方どちらに向かっても、ホノルルから小一時間も車を走らせれば、雄大な自然を楽しむことができる。外から思うイメージでは小さく限られたハワイなのだが、なかなかどうして、その風景は爽快の一言だ。南国特有の、見渡す限りに連なる薄緑、彫り込まれた山脈の深い赤、そして健やかな藍色の海と輝いて流れる雲が織りなす四層の景色は、おそらく言葉だけではわかっていただけないだろうと思う。

オアフ島は少し特殊な、傾いたひし形のような形をしている。それで、今日きたマカプウ・ポイントから起伏と彩色に富む海岸を見透すと……おおよそで言ってよければ……その方向に、日本があることになる。冗談で「日本まで見えますかね」というと、一緒に行ったA子さん[1]は「空は繋がっていますからね」と、流暢な日本語で答えてくれた。

そこは、ここと同じ空なのだ。

二〇一六年七月の、いわゆる「相模原障害者殺傷事件」は私たちの社会に消えない傷痕を残し、それゆえ数多くの非難と批判がなされてきた。そもそもナチス信仰者は障害者の不倶戴天の「敵」なので、世紀の蛮行たる〝T4作戦(2)〟の腐敗した残骸のような「彼」については、一片の断想も持ち得ない。ただし、それを切って捨ててもなお、心に何か冷たい凝りのような、苦い澱のようなものが残されている自分を、否定できない。

この事件については多くのことが議論され、その大半は頷けるものではあったが、私の心の底流を払拭してくれはしなかった。例えば事件を特集したNHK「クローズアップ現代」で、向谷地生良氏は「もっと異なった人たちと対話していくことが必要だ」と指摘していた。確かにそうだが、そもそもこのような事件をおこす「彼」との対話が、果たして真の意味で可能なのだろうか。同じく池上彰氏は「多様な他者をよく知らない存在ではなく、身近に触れ合っていく必要がある」とまとめていた。だが「彼」は、障害者に日々触れ合い四年も勤め職員にまでなって、「施設で働いている職員の生気の欠けた瞳」や「絶縁状態にあることも珍しくない」保護者を指弾するかのごとき犯行声明を国会に持参している。その上で「つらい決断をする時」などという、虚ろで誤った正義感を振りかざして、このような悪行を犯しているのだ。

命がかけがえがないのは自明だし、他者との相互理解が必要なのは不変だし、社会が多様であることは公理だ。私たちが容疑者に底知れぬ不安を感じている理由は、それを「彼」が少なくとも自己認識としては「わかった上」でやっている点にある。これまで私たちが積み上げ、広げ、相互理解を図ろうとしてきた努力を知らないのではなく、重々承知の上で、「彼」の価値観でもって頭から否定しているのだ。多様な社会という主張やその存在を「わかった」上で振りかざされる、正視できないほど汚く歪んだ価値観。このような〝価値観の確信犯〟に対して、私たちは、何か有効な手立てを持ち得ているのだろうか。

実はこの事件は「場所が特別支援校だったら」とか「対象が言葉がわからない者に変わってしまったら」など、個人的に強い恐怖感を喚起するものなので、あまり冷静に語ることができない。だから率直に言ってしまいたいと思う。正直なところ私は、このような犯行を思いつく「彼」に、私たちが日々どのような気持ちを重ねて生きているのかを、わかってほしいとは思わない。わかってもらえるとも思えない。逆に「共感できた」と言われたら、その方が傷つくかもしれないとまで、思う。

やはり言いすぎだろうか。でも私はやっぱり「彼」の価値観を理解できないし、絶対に認められない。同時に「彼」に私の価値観を理解してほしいとは、どうしても思えない。同じ時空を共有している者と、絶対に相互理解が果たされることがないという現実が、自らの心底に凝りと澱を残していく。

マカプウ・ポイントは、駐車場から二キロばかり稜線を登った先にある。手前の展望台までは階段がないように整備されているし、何より健やかな潮風が心地よい、まさにウェルネスを具体的に感じたらかくや、という道中になる。それでも、障害がある人も何の問題もなくいけます、と断言するにはためらわれる距離と標高差だ。ところが今日はここに着くまでに、車椅子の人を二人、白杖をついた人と二人、すれ違った。平日の日中だったので、行き交う人も三〇人ぐらいだったと思う。それで、この割合だった。

だからハワイは多様な社会なのだ、と一言でまとめたら、きっとA子さんに怒られてしまうだろう。英語ができず孤独に凝りや澱を積もらせる私に同情し、今日ここまで連れてきてくれた彼女は中国生まれで、一四歳で日本に来て大学を出た。東京で南アジア系の留学生と知り合い結婚、ハワイに移住して二〇年ほど、現在、市民権を申請中だ。ホノルルで大学に通う息子さんはもちろんアメリカ市民権をもつが、彼の母語は家の中で一番交わされている日本語である。

「東京に住んでいたんです」と日本語で話しかけられた時、ひとりの人が、ないしは一つの家庭がこれほど多様性に富むことは、なかなか想像できないだろう。でもハワイでは標準とまでは言えなくても、さほど驚かれない家庭環境になる。多様性とは、私たちが自らの価値観では想像も想定もできない存在の連鎖なのだ。異質の現前こそが、その本質である。

巷間に知られたAloha Spiritはもともと、ＡＬＯが"in the present of"、ＨＡが"the breath of life"という意味の組み合わせでできている。(3) Pilaf Pakiはその音と文字を当てはめて、五つの意味として解説したが、その最後のAはAHONUI、つまり"patience"だ。自らではない他の「生」が、自らの前に厳然として存在していること、それを受け入れる忍耐こそが、Aloha Spiritの本義なのである。The Rainbow Stateと言われるほど多彩なハワイという空間がどうしてできているのか、その共生の〈技法〉は、このあたりにあるのかもしれない。

一方、私たちはわからないことに耐えられず、自らの「価値」を理解してもらおうとすることに、こだわりすぎるところがある。「価値」に固執しすぎるのだ。「人生」の価値、「社会」の価値、「多様性」の価値……。しかし私はこれまで、比較されなかった価値を知らない。「価値」への固執は「正義」や「評価」を伴う。評価できない存在を認めてしまうと、自らの価値観の欠陥や狭隘さも認めざるをえない。私たちが「価値」にこだわる限り、その価値観でわからないもの、相互理解できないものを否定したり傷つけたりするのをやめられない。

では、価値にこだわらなかったとして、私たちの手元に何か残せるだろうか。変に構えることなく、ただ自然に多彩で多様な空気に満ちたこのハワイの空は、そのための技法を教えてくれている気がする。そこには、ただ存在する「固有の意味」がある。価値を問わなくても、それがわからなくても、固有の意味は残る。理解できなくても意味があるのならば、尊重と忍耐の対象となりうる。

人は、自らの価値観に従って、狭隘な正義感を振りかざしがちだ。相模原の空の下の「君」の価値観では、私たちが積み重ねる生の価値は、絶対にわからないのだろう。しかし、年老いた人が理解できない言葉を紡いでいるように見えることにも、身動きができない人がベッド上で想いを馳せることにも、言葉を話せない子どもが黙々と積み木をつむことにも、深く連なり光るような、かけがえのない意味があるのだ。「価値」が共有できなくても、いや「わからない」からこそ、

――そこには「意味」が残る。私たちが共存し共生するために必要なのは、あとは忍耐だけである。

おわりにかえて

期せずしてかしらずか、本書の（裏側の）キーワードは「半信半疑」と「空前絶後」になってしまった。そもそも「情弱」などというネガティブにもほどがある、しかもだいぶ時代遅れ感がつきまとうバズワードで、どういう議論ができるのか、疑問に思われていた方も多かっただろう。しかも本書は、ありがちなSNSでの炎上事例集でも、スラングの歴史調査でも、情報リテラシーの倫理教科書でもない。おそらく「半信半疑」に本書を手に取ってくださったのではと思う。そして読んでいただければ、強い拒否感を誘発するスラングからこそ、それを手がかりにすることで「空前絶後」に不可視な時代への、橋頭堡を築きうるとした本書の意図にも、きっと賛同いただけるのではとも思う。

私たちはこと「情報」にかんしては、弱者ではいられない。強者をめざさずにはいられない。だからこの本は、情弱、といわれて私と同じように「どきっ」としたり、我慢できなかったり、「半信半疑」だったりする人のためにこそ、書かれている。そして、やや荒っぽく挑戦的と自覚してはいるけれど、情弱というタイトルの本を好んで書こうという人ももういないだろうという「空前絶後」の意味でも、それなりの自信と覚悟をもって上梓したつもりだ。

だから内容にかんして「半信半疑」ということは、まったくない。内容にはそれなりの自信と覚悟をもって上梓している。「半信半疑」というのは、出版の時期、そしてそもそも出版可能なのか、という限られた経済的・時間的・人的資源の方である。

本書の企画は今から数ヶ月前、この列島でも佳麗さを競い合う小平キャンパスがもっとも絢爛な時季に、青土社の加藤峻さんが訪ねてきてくださった時点に遡る。今まで書いた拙稿雑文を大量にご持参くださったことにもびっくりしたが、一番驚いたのは、これで「『情弱の社会学』という本を作りましょう」とおっしゃったことだった。今でこそ「半信半疑」に落ち着いているが、その時の第一感は「ありえない」だった。いろいろあって二〇一九年現在は、こじんまりとした学び舎で障害のある人の学習（Learning Science）や、EdTech なインクルーシブ教育をテーマとしているから、というズレもあったのだけど、もっと驚いたのは「情弱」なんてガチなディスりワード、本なんかになるわけがないという情動的な拒否感からだった。なので最初は「善処します」な政治屋的言説をもって上手にお断りし、新テーマ（ほとんどできている）の出版に蠱惑するつもりだった。

帰宅途中、なぜ「情弱」がダメなのか考えた。学問や科学に最初からダメというのはないはずなのに、なぜ心臓がとまるくらい「どきっ」としたのか。そして理由が二つあることに気がついた。

まず、私じしんが「情弱」なのを、正確にいい当てられてしまったからだ。SNSもやめたし、セルフ・ブランディングとかやらないし、「情動のポスト・ヒューマン時代」とかが到来したら、この世界の片隅で寺子屋に引きこもる（論語と資本論を同時に読む予定）ほどの情弱だった。こんな「情弱」な学者でも、ひとりぐらい（学問の世界では）許してくれるだろうと、スティグマを隠して凡凡と生き残るつもりだったのが、バレてしまったという後ろめたさがあった。

もうひとつの理由の方が深刻だ。そのネガティブさ・拒否感覚＝情報強迫こそが、私たちを追いつめる生－権力の末端のひとつであることを、ようやくさとれたからだ。私たちがどうして〈情弱〉になっていくのか。本書で記述したその過程や可能性は、私たちが〈情弱〉と挑発的にラベリングされるのに、もしかするとふさわしいかもしれない。やや刺激的な物言いになるため、再録を含め慎重に論理構成をしなおしたが、「情報社会」にしても「生－政治」も、ダイレクトに追求しにいってもすぐに手から逃れてしまう類の困難な議論となることが予見された。そこでジリジリと周回してゆっくり包囲しながら、一気に核心を突きにいけるような論旨を心がけた。間隙をつなげば一筋の軌跡が書けているはずなので、半信半疑であっても、ぜひゆっくりと読んでいただければと希望している。

以上の理由から本書の内容は、三つの意味で「空前絶後」にしようと考えた。

まず、本書では「情弱」というと絶対に出てくるはずのメディアである、SNS（Social Network Service）や、その界隈の批評空間あたりを、意図的にできるかぎり外した。情弱というスラングなパワーワードを出発点とする以上、誤解を招いたり不毛だったりするような話にしたくないというのもあったし、そもそも言説空間として、ないしはその空間を語ることは、別に情報社会の本質をついてもいないないし、つくこともないと判断したからである。SNSを含めたインタラクティブなネットワークが、社会的マイノリティの場所でもあったり差別の温床であったりすることはあるし、そういったことを書いたこともあったけれど、結局のところ私たちの生きることにかんして、本質的な意味は今のところないし、今後もなさそうで、本書の論理を誤解させるだけだと考えた。こんな判断は情弱論はもちろん情報社会論としても「空前絶後」だろうが、むしろSNS抜きで「情弱」を語るぐらいが、一番核心をつけるのではないかと思っている。

ふたつめとして、「技術的なこだわり」がある。本書はいくつかの既発表論文を元に改稿を重ねている。初出一覧は以下のとおりである。

第1章（書き下ろし）
第2章（書き下ろし）
第3章「装置としての〈Google〉・〈保健〉・〈福祉〉——〈規準〉で適正化する私たちと社会のために」『現代思想』三九巻一号、二〇一一年、一五二—一七〇頁。
第4章「生かさない〈生‐政治〉の誕生——ビッグデータと「生存資源」の分配問題」『現代思想』四二巻九号、二〇一四年、一六四—一八九頁。

第5章　「ビッグデータ――Citizen-Rated Society：障害者の自立と私たちの真実の物語」『現代思想』四七巻六号、七五―七九頁、二〇一九年。

第6章　「コンヴィヴィアル・メディア・リテラシー――そして「障害者の自立と共生」から何を学ぶか」『現代思想』四四巻九号、一九二―二一〇頁、二〇一六年。

終　章　書き下ろし。（第2節のみ、「医療・福祉」西垣通・伊藤守編『よくわかる社会情報学』ミネルヴァ書房、二〇一五年、一〇六―一〇七頁をもとに、大幅に改稿）

コラム　「同じ空なのに――障害・共生・価値・意味」『Tsuda Wellness Network Newsletter』第四四号、二〇一六年。

再録・改稿の過程で大幅に変更されているが、中には技術面、ないしは制度面で古くても、アップデートせずにそのままにした部分がある。当時の息遣いを残したかった部分もあるが、いちばんの判断ポイントとして、「技術や制度として古くても、そのさししめす方向性が変わらなかったり、論理的帰結は変わらない」ところは、あえてわかりやすい部分を中心に、改稿しなかったりした。情報が古い、調査不足といった情報検索的不備の反論は受け入れるが、仮にそれを考慮しても論理的な結論はほとんど変わらないと思う。せっかくの論文集で改稿しないというのも「空前絶後」だろうが、それでいいと思っている。なお本書は、科学研究費（JP15KK0132, JP26330388）および津田塾大学「私学研究ブランディング事業：社会的インクルージョン基盤研究」の研究成果の一部であることもあわせてしるす。

　みっつめとして、前段ともつながっているが、理論をあつかう場合の論者も徹底的に絞り込んだ。いろいろ調べ直したのだが、悩んだ結果、ミシェル・フーコーの理論を中心に、本書の主旨に関連しそうな論者のみとした。日本の「情報弱者」や「デジタルディバイド」の先行研究のフォローを見送ったり、「生‐権力」論のトレンドも追えなかったり（著者が素人ということも大きいが）という点も「空前絶後」かもしれないが、やはりそれは本書の役割ではないし、それをすることで本書の論点が曖昧になると考えた。それでも本書には十分、学問的な意味があると考えている。情報収集的な部分ではずっとよい良書があり、一部は文献リストにもあげてあるのでぜひ参照されたい。

　さらに重要なのだが、キーワードである「生の技法」についても、あえてきちんと描写しなかった。安積ほか（1990-2012）以降の展開を考察しきれなかったのもあるが、そもそも現段階で、しかも本書の論旨で、それを実体的に論じることに引け目を感じたし、誤読を誘発しかねないと思ったからである。「生の技法」の実態は、拙著を少しでも読んで、少しでも考えてくださった方それぞれに、多様に積層されるものなのだと思う。

　以上の「半信半疑」と「空前絶後」の結果が、本書の粗っぽく挑発的な出来になってしまったことは、資源的制約による校正不足を含め、一義的に私に帰責する。末尾にて恐縮だが、この本で特に謝辞を差し上げなければならない方々に特に御礼を申し上げて、おわりにかえたい。

　内容的にはすべて私の責任だが、出版できた成果の大半は、青土社の加藤さんのおかげであることを、改めて明記しておきたい。加藤さんのような情熱と我慢と敏腕をかねそなえた編集者に出会えなければ、絶対にこの本は出なかった。田舎学者を自認し旗印とする自分が、このような空前絶後の拙著を上梓できるのは、まさに加藤さんのおかげだし、さらに、おそらく「空前絶後」のスケジュールを認め「半信半疑」を実現してくださった、青土社という気宇壮大な出版社のおかげだと思う。このような「学問的火遊び」に付き合っていただいたことに、深く御礼申し上げる。

本書執筆の最終段階になって、日本筋ジストロフィー協会東北本部・宮城県支部にて導いてくださった榊枝清吉さんの訃報に接した。本書執筆中に既発表論文や博論を読みなおし、榊枝さんや、障害のある人のIT支援の同志だった宍戸幸樹さんや柏木規雄さんたちを思い出していた。たくさん加担も衝突もしたけれど、〈生の技法〉が何で、どうあるべきかを教えてくださった、本当に貴重な人生の先導者だった。衷心からみなさまに哀悼の意を表します。

最後に、本書の基礎理論を教えてくださった恩師の正村俊之先生と、表現技法のブレーンである、盟友大鎌伸子氏に深謝する。本書を少しでも読んでくださる方がいて、少しでも賛成していただけるところがあったとしたら、その技法の過半は大鎌氏のものである。

二〇一九年八月

柴田　邦臣

新装版へのあとがきにかえて
――能登半島にみる〈乖離〉と社会の原点

エアマットを引いても硬い寝床に、目が醒める。目の前の仕切りも段ボール製だ。ここに泊まり始めて一週間、毎晩のように体育館の屋根を見上げながら、「まさに時が止まったかのような被災地」という言葉を噛み締める。左手には給水タンク、右手には仮設トイレ、奥には五列の段ボールベッドがどこまでも並ぶ、真新しいブルーシートに彩られた体育館。今日の宿泊者は私を除くと二名、総定員数の数パーセントにも満たないだろう。これが二〇二四年一月の能登半島での避難所ではなく、五月の声を聞こうという頃に災害ボランティアに提供された宿泊拠点だ、と言って、どれくらいの人が信じてくれるのだろうか。

この社会は、〈劣化〉している。東北・東日本の大震災に対峙した一三年前よりも、新型コロナウィルス感染症下で葛藤した四年前よりも、そして、本書の初版を上梓した二〇一九年よりも。確かに

「能登半島における災害支援」にいろいろな事情があるのは承知の上だ。それでも、「助け助けられて生きる」ことこそが「社会」の原点ならば、これほどの被災が顕然してもなお、共同する力を発揮できず、さまざまな意味で被災地を孤立させたままにしている日本社会を、劣化していないと言わずして、なんと言えばいいのだろうか。

いや、〈劣化〉という表現は、正しくないかもしれない。一三年前よりも、四年前よりも、はるかに進歩したところも、たくさんあるからだ。マイナンバーカード（は間に合わなかったとしても）、ICカードやSNSを活用した「被災者データベース」は、東日本大震災時よりはるかに整備されて、被災地に負担をかけないプッシュ型支援を実現しようとしている。[1] 本書第3章で論じた〈やさしい〉テクノロジーもかくや、という未来形は、それほど遠くなさそうだ。さらに、各市町の災害ボランティアセンターでは、数年前から開発されてきたクラウドサービスを活用したニーズ管理を、ようやく本格的に実現させ、希望するボランティアとマッチさせることで被災者を支えるマネージメントを具体化させるまでにきている。[2] 災害ボランティアセンターが県や市町の社会福祉協議会によって設置されていることを踏まえても、本書第4章で論じた〈人を愛する〉テクノロジーの、本領がまさにここで発揮されようとしているようにも思える。その中枢である石川県災害対策本部員会議では毎週のように「関係機関と連携し、被災者の声に寄り添って、しっかりと進める」復旧作業が報告され、復旧・復興本部では「住民と考え」、「輝きを取り戻す」ための「創造的復興リーディングプロジェクト」、「奥能登版デジタルライフライン」が示される。[3] そこで描かれる復興の〈真実〉

という未来は、あらゆる意味でも、本書第5章で述べた〈真実〉として守られるべきものとなるだろう。

だから、今、私たちが直面しているものは、〈劣化〉ではなく、〈乖離〉として表現されるべきなのかもしれない。これほどの努力を重ねてなされた避難者支援策が、なぜ、これほどの避難所での物資枯渇と混乱を生み続けたのか。これほどの調査分析と技術開発を集めて構築される災害支援の情報システムが、なぜ、被災地の「時が止まったかのような現状」を変えられないのか、ボランティアの共同を生み出せないのか。そして、能登半島全域から採集蓄蔵した当事者の声や専門家の知見を連ね、叡智と善意に満ち溢れる中で練られた復旧・復興の理想が、生活再建の困難さに躊躇う高齢の被災者の日々と、なぜ、これほどまでに〈乖離〉してしまうのか。

その〈乖離〉の原因は、残念ながらまだわからない。しかし、一週間程度、この段ボールベッドに寝てみるだけで、〈乖離〉の要素分解ぐらいは、可能になりそうだ。この、避難生活の快適化のために「完成」されているような外観の段ボールベッドは、〈乖離〉の典型例なのだ。見た目、優しく暖かそうな床面は、意外にもしっかりしすぎていて鉄板のように硬い。プライベート空間を確保してくれそうな間仕切りが、寝返りを打つたび呆気なく倒れるさまは、この国におけるプライバシーがどれほど軽い存在なのかを描出している。それが整然と並べられた避難所に順番に避難させられ横になっている人たちに対して、どれほど注意深く観察しその苦しみに共感しようとしても、おそらくその内実には、永遠に届き得ないのだろう。発災後、繰り返し能登に入っていると、外形的な〈かたち〉の追求と、その内で葛藤する〈なかみ〉とのずれこそが、この半島を覆い尽くし、時を止めていることがわかってくる。ここで「形式」と「内容」の差などと論じる紙幅は無いし、おそらくその必要もない。ただ、現代日本社会の潮流が、さらにいえば情報技術の趨勢が、私たちが生きることの〈かたち〉と〈なかみ〉との乖離を放置して上滑りしていることは、おそらく間違いない。本書終章で述べた「アーキテクチャリズム」と「リテラリズム」との対比は、この〈乖離〉の文脈で理解されるべきだろう。

私は本書で、そういう話をしたかったのだ。ここ能登半島ではその〈乖離〉が、最悪の〈かたち〉で結実しつつあるようにみえる。もっとも、この〈乖離〉は、能登半島のみで起こっているわけではない。一四年前の東日本大震災の時だって、すでにユートピア的な官僚制とボランティアの現実の差に大いに苦しんでいた。(4) COVID-19危機の時だって、憲政最長の最強政権の乾坤一擲は、アベノマスクだった。さらに、思いつきのような長期休校による教育の揺らぎを発火点として、多くの子どもたちが「学びの危機」に直面し孤立し、今なお、もがき続けている。(5)

初版を上梓後の五年間、拙著が射程としていた十数年間、さらにいえばその遥か前から、私たちは、「より良く生きる」ことを、「より正しく生きる」ことを、「より共に生きる」社会を、衷心から望み続けた。情報技術はほぼ例外なく、その実現のためだけに生み出され続けてきた。そしてその帰結として私たちは、肝心の「生きること」そのものから遠ざかり、〈乖離〉させられつつある。この社会の危機は、私たちじしんが、招いたものなのだ。おそらく〈疎外〉と呼んでもさしつかえ無さそうな、この〈乖離〉は、おそらく誰一人欠かさず、本心からそれを望み続けた結果だ。だからもう、それを簡単に望み続けないほうがいいし、そのための技術を生み出そうとしないほうがいい。今、必要なのは、〈かたち〉と〈なかみ〉を一致させて生きようとする作業だ。本書第6章は、そのための技法について述べようとしていた。それは、しっかりと「自立」した主体どうしが、その地域や現場で「共に生きる」ための技法だったのである。[6]

なんのことはない、その好例は、能登半島にもたくさんいらっしゃる。輪島市門前町の黒島地区で、落下した瓦の片付けをお手伝いしていた時、風が強まり雲行きがずいぶんあやしくなった。スマホのAI予報で三〇分後の大雨予測を確認して、片付けをしながらなんとなく、ひどい雨になりそうですねと呟くと、地元の方はすぐに晴れるとおっしゃった。はたして、見るからに降り始めそうだった雲天はどんどん青くなり、あっという間に晴れ渡った。おどろいた私が「どうしてわかったんですか」とお伺いすると、「あの、先っぽの空が晴れてたから」。それくらいわからんと船には乗れん、とのことだった。その横顔は、「生きている」人の姿そのものだった。

自宅近辺の天候もわからないような私は、おそらく、「きちんと生きる」ことができていないのだ。AIを使いこなすためにも、まず「きちんと考え、きちんと生きる」ための技法に、注力するべきなのではと思う。その機縁は、この能登の大地と海原で、地に足をつけて生きている人々のリアリティに、その歴史の伝承へのリスペクトにこそあるだろう。さらには本書第2章で論じたように、これまで「情報弱者」であったり「マイノリティ」とされてきた人たちの日常生活の積層にもあるだろう。〈弱者〉と決めつけて、ビジョンだのシステムだのを躍起になって構築する対象としてしまう前に、その〈弱者〉の生きざまを原点として、自分たちや社会が変わるような努力をしたほうがよい。サンプルとしてデータを抽出するのではなく、師として学び自省するようなコミュニケーションをはかるべきなのだ。そのような思考・科学のあり方のために、本書は今でも意味があると思うし、新装版として貢献することができれば、これ以上の喜びはない。末尾になりましたが、その機会を与えてくださった青土社・村上瑠梨子さま、そして、東日本大震災復興支援、「学びの危機」プロジェクト、能登半島復興支援でお世話になりましたみなさま、さらに「きちんと生きる」ことができていない自分を日々支えてくれる同志諸賢に、あらためて深くお礼申し上げます。

二〇二四年五月　能登半島・被災地の復興を期して

柴田邦臣

註

第1章

（1）一九九三年から一九九四年にひきこもりを経験した人（二〇代・男性）の記録メモより。断続的ながらひきこもり期間は最長六ヶ月に及んだが、その後、社会復帰した。当時を振り返って記録を残しており許諾のもと抜粋した。
（2）関東自立就労支援センターブログ「社会病理として不登校・ひきこもり」より。
（3）（1）と同上。
（4）同上。
（5）同上。
（6）総務省『平成二九年版情報通信白書』より。
（7）東京大学大学院教育学研究科附属心理教育相談室（http://www.p.u-tokyo.ac.jp/soudan/020shimoyamalab/02_ocd.html）やOCD研究会（https://ocd-net.jp/check/）などの強迫性障害用のチェックリストを参考に抜粋した。
（8）もっとも実際のところこの動画は、アーティストのBill Postetsらが作成しSheffield Doc Festというイギリスのイベント内で公開されたものであったため情報としての混乱もなく、厳密にはフェイクニュースはいえない。ただ、ディープフェイクの今後と、情報社会における情報の信頼性の困難を予見させるものであることは事実である。
（9）ここではフェイクニュースを、ある一定の意図をもって事実ではない情報を流布させようとすること、という意味で用いている。ボットは発言や投稿を自動化するプログラムで、フェイクニュースの拡散にも用いられる。それらの情報の偏りを裏付けるのが、自分の価値観を裏付ける情報ばかりが集まった結果、凝り固まり反証を受け付けなくなる「確証バイアス」である。二〇一八年のScienceに掲載されたVosoughiらの調査では、フェイクニュースは真実よりもより広く、早く、そして深く伝播することが確かめられた（Vosoughi et. al. 2018）。とはいえ、それらも人によってはフェイクではなく、「既存メディアとは異なる視点での真実」というオルト・ファクトでしかないのかもしれない。たまたま二〇一六年にアメリカに滞在していて、大統領選でアメリカのネットがオルト・ファクトに感染し、確証バイアスを募らせていく有様をみていた、著者の記憶を振り返ると、そう思える。

（10）ブロックチェーンとは一般に、情報をブロックに入れ、チェーンのように連結していく保管形式をとるもので、ブロックがどのようにつながっているかをたどることができるため、「後からのデータの改ざんを困難にする」というメリットをもつ。そのため、互いに信頼できないプレイヤー同士が合意できるシステムとして過大評価されてもきた（Song 2018）。しかし、そのデータの発生時点の信頼性、プログラムの信頼性、コスト問題、そしてユーザーの信頼性など疑問点も多く、少なくとも本書で提起される疑問を克服するテクノロジーたりえるかは認めがたい。

第2章

（1）当時、勇敢にたたかってくださった、伊藤清市氏、斎藤博臣氏、そして故・星和人氏に、衷心から敬意と感謝を記す。

（2）World Wide Web Consortium（W３C）は Web accessibility をとおして、世界の情報アクセシビリティの指導的立場を担ってきた。詳細は World Wide Web Consortium（2018）など参照。

（3）本書における「ポスト・ビッグデータ社会」は、ビッグデータ化の延長線および帰結点として描かれる。そう呼称する理由を二つ述べておく。通常「ポスト」という接頭詞は、〝次に来たる〟という意味だけではなく、それを克服したり変質させたりする意味をもたせることが多いだろう。そのため、〝次に来たる〟という含意があっても、ビッグデータ化と同じベクトル上に位置させている本書の使用法では、「ポスト・ビッグデータ社会」と呼ぶことに違和感をおぼえるむきもあるかもしれない。本書でも「ハイパー・ビッグデータ社会」（この方が理解しやすければ、これ以降そう置き換えて読んでもらっても意味は変わらない）などと呼称することも考えたが、第３章以降で論じるように、〈生〉に隣接しその内実に浸透することで、ビッグデータの社会的意味は幾重にも変質する。その屈折点を看過しないために、積極的にポスト・ビッグデータと呼称することにした。ふたつめの理由は、第1章と第5章で触れた「ポスト・トゥルース」という情報のあり方を示唆するためである。本書では紙幅の関係で詳述できなかったが、念のため言明しておきたい。

第3章

（1）その意味では、ＥＵが Google や Amazon などのプラットフォーマーに規制を課したり（EU Online Platforms: https://ec.europa.eu/digital-single-market/en/online-platforms-digital-single-market）、一般的なデータ保護規則（GDPR: https://eugdpr.org）を導入したりというのも、本章の指摘と同期はしているが、やや皮肉なものといえるかもしれない。

（2）本章は主として Google、Amazon、Apple、Facebook などに代表される、ビッグデータ社会の基盤を独占・寡占的に提供するプラットフォーマーを取り上げている。上記の四社はそれぞれ内実も異なるが、特に共通点に焦点をあてて典型的ないくつかを擬制的に実例としている。同時にその装置の意味合いはSNS等多くのネットサービスに通ずる（むしろ色濃い）と考えており、類似のサービスを提供する新旧の主体を含んだ象徴例として〈GAFA〉と表記する。

（3）特定保健指導は「1情報提供」「2動機づけ支援」「3積極的支援、目標達成に向けた実践（行動）に取り組みながら、支援プログラム終了後には、その生活が継続できることをめざす」の三種類がある。

（4）地域包括ケアシステムの構築のもと、医療と介護の連携はますます進められている。その基調が、基本的な健康診査としての特定健診から介護予防・日常生活支援総合事業への接続であることは、厚生労働省『医療と介護の一体的な改革』（https://www.mhlw.go.jp/stf/seisakunitsuite/bunya/0000060713.html）などをみても明らかである。

（5）「1分間タイムスタディ」は、幾度かなされている「高齢者介護実態調査」で実際に施設に入所し介護サービスを受けている介護時間を収集・分析したもので、「要介護認定等基準時間」の元である。「中間評価項目」は補正のための評価項目である。なお要介護認定等基準時間は費用な介護時間を直接示すものではない。幾度となされる改定でも大きく混乱したり変更されたりすることなく、微調整の元で継続が決定している点も、この機能の重要性を物語っている（厚労省 2010 など）。

（6）身体の使わない機能が衰える「廃用症候群」や家事や生活する力が衰えるという「生活不活発病」が介護サービスを受けすぎ自立を阻害した結果であるとの言説まであり、まさに適正化の好例である（柴田 2012a など）。

（7）〈規準〉は Criteria の意。それが情報空間に満ちる論理等、残された課題は柴田（2012a）でも論じられている。

（8）これまでの多くの在宅医療・介護の現場は、制度や規則や規準を逃れ巧みに利用し生きる力と人間関係に満ちていた。そのような現場を支えるケアマネやヘルパーの工夫の余地は、利用者のための〝やさしい〟医療・福祉制度改革が繰り返されるたびに、急速に失われているといえるのではないか。

第4章

（1）本章のオリジナルは、『現代思想』に掲載された柴田（2014）であり、骨格を生かしたまま大幅に改稿を加えている。ただその前に、柴田（2014）をほぼ再録した、柴田邦臣（2019「生かさない〈生‐政治〉の誕生の再考――福祉制度×情報技術による『生存資源の分配』」、伊藤守編『コミュニケーション資本主義と〈コモン〉の探求――ポスト・ヒューマン時代のメディア論』東京大学出版会）における再考の影響も受けており、特に「多死社会」の論及はほぼ同じかたちとなった。偶然ではあるが期を分けずの改稿となったため、過程の論旨には異同があるが、前出が姉貴分で、本章が姉分の関係となっている。「多死社会」への言明は姉貴分が先であり、また、『コミュニケーション資本主義と〈コモン〉の探求』の各章も、本書のテーマに深く関係する考察が目白押しなので、ぜひご参照いただきたい。

（2）檜垣（2006）、小松（2012）など。ちなみに本書における生‐権力と生‐政治との使い分けは、おおよそ以下の整理に従っている。「「生権力」と「生政治」の両概念の異動に関しては、フーコーでは、前者が権力形態の在り方をいうのに対して、後者はその具体的な発動の仕方、あるいは、前者が近代的な権力形態の全体枠を指すのに対して、後者はその中の特定の時代（十八世紀後半以降）の形態、このいずれかとして概ね読みうる」（小松 2012: 147）。

（3）実際のところ人口は、生‐政治にとっても増えればいいというわけではない。「多くのものを生産するには相当の数の人口が必要ではある。（…）しかし、多すぎてもいけない。まさに、賃金が低くなりすぎないためには、人口は多すぎてはいけないのです。（…）人口に絶対的な価値はなく、あるのはただ相対的な価値だけなのです。所与の領土にとって望ましい最適の人々の数というものがあって、その望ましい数は、資源や、ありうるべき労働や、価格を維持するのに必要充分な消費にとって変わってくる」（Foucault 2004a=2007: 427）。問題は、その調整そのものが危機的状況に陥っているか、そう見せかけられているという点であり、だからこそ〈生かさない生‐政治〉が浮上してきたともいえる。

（4）その意味で本章は、ドゥルーズの「監禁環境そのものといえる病院の危機においては、部門の細分化や、デイケアや在宅介護などが、はじめのうちは新しい自由をもたらしたとはいえ、結局はもっとも冷酷な監禁にも比肩しうる管理のメカニズムに関与してしまった」（Deleuze 1990=2007: 358）という論点から出発している。ただしそれを、（彼の本旨がそこにあったのかは疑わしいが）〝環境の管理〟への抵抗点として安易に情報システムを受け入れる、というところの再解読をめざしてもいる。

（5）最低限のみ補足しておくと、少なくともフーコーのいう生‐政治は、以下の三つの点で、他の権力のあり方と異なっているといえる。
　a）主体の生を集団として引き受け、その教導を務めとすること
　b）市場による調整（自由）環境を整えること
　c）その判断基準を、正当／不当ではなく、成功／失敗とすること
　人口管理の生‐政治というあり方は、これらの三要素の連関として成り立っている。a）は主体の生の包囲と集合的把握を意味し、その手段がb）の環境調整である。その目標はc）によって設定される。それゆえ「人口を調整する管理型権力」という出力となる。a）の由来はまさに「司牧的権力」であり、b）を確立したのがいわゆる「新自

由主義」であるのは、よく知られている。ただし、a）とb）は親和的ではあっても、おそらくそれぞれは必要十分条件ではなく、一定程度は代替しうる。おそらくその間隙こそが、a）生を司りつつb）内的調整に外在性を持ち込みc）を誤導する＝生存を問わない、という〈生かさない生‐政治〉の装置稼働を実現する。

（6）それゆえ本章の関心は、統治する生‐政治の側ではなく、統治される私たちの側にある（実は同じことだが）。だから、現在の安全型権力を告発したり、来る制度設計を勧奨したりするところにはない。また本章で描く〈生かさない生‐政治〉は、あくまでひとつの可能性を論じたものである。それゆえ本章で言及した制度――例えばビッグデータ、マイナンバーや介護保険など――が、システム変更されたり、それこそ呼称が変わったりといったことは、容易に起こるだろうし、それは本章の予測の範囲内でもある。それでも本質的な部分は変わらず、表層的変更に留まっていたり、類似の装置が補充されたりするだろう。

（7）誤解されないように断っておくと、統計学という学のありかたに問題があるわけではない。吉村の高名な事績（吉村 1971）のように、それが生‐権力的なあり方を反転させるようなこともありえる。ただしその限界として「我々のなしうることは、データのとり方や対象にかんする既存の知識を十分に利用して、誤差変動の原因、程度、傾向をつかみ、そのうえで誤差をこえて現れている法則性を可能なかぎり追求すること、すなわち統計的推論を行うこと」（吉村 1971: 290）と言及されているのは興味深い。本章は統計学の内実に踏み込むものではないが、その分析が思われている以上に様々な前提――外在性――を必要としていることは、述べておいてもよいと思う。統計学の計算は科学的に極めて正しいが、サンプリングをどうするかモデルをどうするかなど、いくつもの設定が必要になる。特に多量のデータを扱う現代の統計学（例えばベイズ統計学）において社会的な成果を出すためには、高度なモデリングが不可欠となっている（佐藤・樋口 2013）。

（8）実際のところマイナンバー制度は、特定個人情報の利用規制、提供規制、情報の分散管理の義務づけなど、制約ばかりである（内閣官房 2013, 2015, 2019）。特に医療分野はさらに慎重が期されている。それゆえ国家による一元監視などとは、おそらくほど遠いシステムには見えるだろう。もっとも本章でいう〈生‐権力〉の装置が、そのような監視システムにはなりえないことも、すでに述べた。現在の制約を、現在検討されている程度（内閣官房 2019）に緩めるだけで、十分レセプターとして機能しうる。

（9）もちろん「区分支給限度額」も、後に言及するような様々な調査と検討（その中にニーズ調査も含まれる）から決定されている。実はこの種の問題は決まらないと配分できないが配ってみないとわからないという点で「にわとりと卵」なのだが、問われるべきなのはニーズの把握と総量の把握が重複して、しかし独立しておこなわれていること（この場合は厚生労働大臣が決めている)、しかしそれが関係しているように見せかけられているところにある。

(10) 現状において、本来ニーズと〈擬制されたニーズ〉との整合性は、本人の自粛と、ケアプランを策定するケアマネージャ、およびサービスの前線を担う介護職の〝頑張り〟に収斂されてしまっている。ケアプラン策定にも重要な論点があるのだが、十分に紙幅をあてられなかったので、稿をあらためたいと思う。しかしケアプランの自由度がますます減少し、介護職の余裕が極限まで喪失されつつある中で、本来ニーズを〈擬制されたニーズ〉にどこまで〈適正化〉しつづけられるかはわからない。

(11) 厳密にいえば、lも時系列的に変動するため、Lは人口数pと時間変数tの関数としては描ける。だからここでの議論はあくまで簡便にするため時系列の考察を省いた、アナロジーの域を超えていない。しかしpは介護の労働力でもあるため影響を次節のwと打ち消し合い、現実は高齢化によってtが増加するのに比例しlも相対的に増すという前提に従うだろう。その意味でLは一貫している。さらにいえばそれは、LはL'とは独立して存在していることとは関係がない。

(12) 実際のところ、これ以降の議論は「経済の外部性」に繋がるものであり、経済学の議論も合わせた詳述が不可欠である。さらに危機の偽装という可能性を含め、現代日本の「外部資源」としての国際関係まで考慮にいれて記述しなければならないが、おそらく結論は変わらないと考えている。

(13) 本章でいう「多死社会」は、社会の高齢化の到達点として、「年間一五〇万人以上が病老死し」(藤 2018: 2)、また「構成する相当数の人々が死を意識せざるを得なくなる」(藤 2018: 3) 社会である。具体的には団塊世代が後期高齢者である七五歳を上回る二〇二五年ごろからはじまると考えられている。なおこの「多死社会」の論考は柴田 (2019「生かさない〈生-政治〉の誕生の再考――福祉制度×情報技術による「生存資源の分配」」、伊藤守編『コミュニケーション資本主義と〈コモン〉の探求――ポスト・ヒューマン時代のメディア論』東京大学出版会) とも共通している。

第5章

(1) 第4章ではこの過程を、〈統計学的な私〉と呼称した。統計学と「真理の体制」の関係はきわめて興味深い論点だろうが、テーマがややずれ、また紙幅もあるため今後の課題としたい。

第6章

(1) ここで取り上げた小学生向けのタブレット教材コースは事実に基づいているが、教育における情報ディバイス活用全般を論じているため、特定の企業・事業に対する言及や評論ではないことをお断りしておく。もちろん本章の目的はその理論的帰結にあり、そのような事業の営業を批判するものではない。むしろ著者としては、教育産業のあるべき将来像なのだろうとも思っている。

（2）以降、本書では、タブレットとスマホをほぼ同じカテゴリーで検討している。両者はディバイスとしては異なるが、本書の趣旨に限ればほぼ同じものとして論じられる。なお同じことは、第3章でふれた端末を身体に取り付けるウェアラブル・ディバイスにもいえる。それはむしろ〈鏡像〉機能を加速させた姿である。

（3）本章で「A子」と名付けたのは、Carroll（1872）へのオマージュとともに、注目すべき例の多くが五～八歳の女の子だったことへのリスペクトであり、別に「A」でも「A男」でも読み替えていただいてかまわない。重要なのは「A子」は特定の一人のモデルではないが、ここでの例が実際に、ある子どもが直面し生きた現実だったという点である。

（4）転座は染色体の一部が他に結合した状態で、重複はそれらによって重なった遺伝子がある状態である。実は遺伝子とその発現はまた別問題で、仮に変異があったとしても常に発現するとは限らないし、異常が遺伝子に由来するわけでもない。この註を読むまで「発現」にかんする言及が欠けていることに気づいてくださった方には、本章の趣旨をより理解していただけると思う。遺伝子の変異は全てが問題ではなく、人類の遺伝子の新パターンとして蓄積された結果、ないしは社会文化的な面で、将来役立つ可能性が多いにある。すべての〝障害児〟は、人類の未来に寄与しうるという誇りをもって育てられ、社会に参加するべきだと確信している。

（5）「障害の社会モデル」は、障害が身体条件や個人的事情に起因するものではなく、社会的に構成された問題であるとする、もっとも主流の学説で、第2章で述べた社会的マイノリティ論における「社会的構成」とつうじる議論であり、本書の理論的底流ともなっている。詳細は柴田（2015a）など参照。

（6）いわゆる「聴覚障害」の実態はきわめて多様で、「ろう」と「難聴」も異なり、音声日本語を使っているか日本手話のネイティブであるかによってもまったく違い、補聴器、なかには人工内耳（この一〇年での隔世な進展を含め）への対応も大きく異なる。本章は実際にあった事を慎重に記載しているつもりであるが、「補聴器が高性能であればよい」といった議論ではないので留意いただけると幸いである。ろう・難聴にかんしては『現代思想』編集部編（2000）も参照されたい。

（7）「リテラシー」とは一般に「識字力」を意味するが、メディア・リテラシーなどのように、より幅広い「メディアを活用する力」として論じられることも多い。本書ではその射程をさらに広げるとともに、障害当事者の自立生活のなかで積み重ねられてきた「生の技法」と連関させていきたい。用語の定義・概念にかんしては柴田ら（2016b）など参照。

（8）インクルーシブ教育は、障害者差別解消法の施行などに伴い、本章で指摘しきれなかった豊かな視点を包括しうる。柴田（2015）など参照。

終章

（1）フーコーはこの「自省」を「私自身の理性の萌芽として、自立して振舞うことを可能」とし、「世界全体に適合した振る舞いをも可能にしてくれる」ものとしている（Foucault 2012=15: 280）。

コラム

（1）A子さんは私が実際にハワイでお会いした実在の人物がモデルだが、プライバシーと議論の慎重さを考慮して少しだけ変更してある。A子という呼称は、これまでの本書の議論を引き受けてのものである。

（2）ナチス・ドイツにて障害者を組織的に大量虐殺した作戦。アウシュビッツの前哨ともいわれる。

（3）Aloha の原義には複数の説があるが、ここでは Ariyoshi, R.（2014, National Geographic Hawaii, pp.16-7）の解釈を元にした。

新装版へのあとがきにかえて

（1）知事による「記者会見の要旨――令和6年2月19日」（石川県 HP）https://www.pref.ishikawa.lg.jp/chiji/kisya/r6_2_19/1.html（二〇二四年五月二〇日閲覧）。

（2）『2024 年度版 災害ボランティアセンター kintone 研修テキスト』（サイボウズ、2024）などを参照。

（3）石川県令和6年（2024年）能登半島地震復旧・復興本部「第3回本部会議」各資料（石川県 HP）https://www.pref.ishikawa.lg.jp/kikaku/r6notohantoujishinfukkouhonbu.html（二〇二四年五月一日閲覧）。

（4）官僚制（ルール）については、Graeber（2016）を参照。東日本大震災については、柴田ほか（2014）などを参照のこと。なお、本稿は科学研究費（基盤 C: 20K12550）の研究成果の一環である。

（5）「学びの危機」（Learning Crisis）については、柴田（2020）や、「「学びの危機（まなキキ）」Counter Learning Crisis Project」（https://learningcrisis.net/）を参照。

（6）フーコーの「主体」論は、本書にとって、このような原点を読み解く有力な補助線となっていることを明示しておく。Foucault（2001=2004）などを参照。

参考文献

阿部潔、2006「公共空間の快適——規律から管理へ」阿部潔・成実弘至編『空間管理社会——監視と自由のパラドックス』新曜社、pp.18-56.

雨宮処凛・萱野稔人、2008『「生きづらさ」について——貧困・アイデンティティ・ナショナリズム』光文社新書.

Amazon、2019「Amazon Personalize——すべてのユーザにリアルタイムパーソナライゼーションとレコメンデーションを」、https://aws.amazon.com/jp/blogs/news/amazon-personalize-real-time-personalization-and-recommendation-for-everyone/（2019 年 7 月 31 日閲覧）.

Apple、2019「iOS ヘルスケア」https://www.apple.com/jp/ios/health/（2019 年 7 月 31 日閲覧）.

東浩紀・濱野智史編、2010『ised 情報社会の倫理と設計 倫理編』河出書房新社.

安積純子ほか、2012『生の技法——家と施設を出て暮らす障害者の社会学（第３版）』生活書院.

Carroll, Lewis., 1872, *Through the Looking-Glass, and What Alice Found There*, Macmillan.（＝ 1998、脇明子訳『愛蔵版　鏡の国のアリス』岩波書店）.

Chen, YC., Cheung, ASY., 2017, “The Transparent Self Under Big Data Profiling” *The Journal of Comparative Law*, 2017, 12(2) : 356-378.

Creemers, R., 2018, *China's Social Credit System*, University of Leiden.

Dalla Costa, Mariarosa, 1981, “Emergenza femminista negli anni '70 e percorsi di rifiuto del lavoro” A.A.VV., *La società italiana. Crisi di un sistema*, F. Angeli.（＝伊田久美子・伊藤公雄訳、1986「フェミニズムの登場と『拒否』の闘いの展開」『家事労働に賃金を——フェミニズムの新たな展望』インパクト出版会）.

Deleuze, Gilles, 1990, *Pourparlers*（＝ 1992『記号と事件——1972-1990 年の対話』宮林寛訳、河出書房新社）.

Dressel, J., Farid, H., 2018, “The accuracy, fairness, and limits of predicting recidivism” *Science Advances*, 4 (1).

Eadicicco., Lisa., 2019, “There's a fake video showing Mark Zuckerberg saying he's in control of 'billions of people's stolen data,' as Facebook grapples with doctored videos that spread misinformation”, *Business Insider*, Jun, 11, 2019, https://www.businessinsider.com/deepfake-video-mark-zuckerberg-instagram-2019-6（2019 年 7 月 31 日閲覧）.

Fisher, R. A., 1959, *Statistical Methods and Scientific Inference*, Oliver and Boyd.（＝1962、渋谷政昭・竹内啓訳『統計的方法と科学的推論』岩波書店）.
Foucault, Michel, 1975, *Surveiller et Punir—Naissance de la Prison*, Gallimard（＝1977、田村俶訳『監獄の誕生——監視と処罰』新潮社）.
———, 1976, *La Volonité de Savoir* (*Volume 1 de Histoire de Sexualité*), Gallimard.（=1986、渡辺守章訳『性の歴史 I 知への意志』新潮社）.
———, 1997, *Il faut défendre la société Cours au Collège de France 1975-1976*, Seuli/Gallimard（＝2007、石田英敬・小野正嗣訳『社会は防衛しなければならない　コレージュ・ド・フランス講義 1975-1976 年度』筑摩書房）.
———, 2001, *L'herméneutique du sujet Cours au Collège de France 1981-1982*, Seuil/Gallimard（＝2004、廣瀬浩司・原和之訳『主体の解釈学　コレージュ・ド・フランス講義 1981-1982 年度』筑摩書房）.
———, 2004a, *Sécurité, Territorire, Population 1977-1978*, Seuli/Gallimard（＝2007、高桑和巳訳『安全・領土・人口 コレージュ・ド・フランス講義 1977-1978 年度』筑摩書房）
———, 2004b, *Naissance de la biopolitique Cours au Collège de France 1978-1989*, Seuli/Gallimard（＝2008、慎改康之訳『生政治の誕生 コレージュ・ド・フランス講義 1978-1979 年度』筑摩書房）.
———, 2008, *La Gouvernement de soi et des autres Cours au Collège de France 1982-1983*, Seuli/Gallimard（＝2010、阿部崇訳『自己と他者の統治 コレージュ・ド・フランス講義 1982-1983 年度』筑摩書房）.
———, 2012, *Du Governement des Viviants Cours au Collège de France 1979-1980*, Seuli/Gallimard（＝2015、廣瀬浩司訳『生者たちの統治　コレージュ・ド・フランス講義 1979-1980 年度』筑摩書房）.
藤和彦、2018『多死社会の到来による価値変容に応じたシステム構築の必要性』独立行政法人経済産業研究所.
現代思想編集部編、2000『ろう文化』青土社.
Graeber, D., 2016, *The Utopia of Rules : On Technology, Stupidity, and the Secret Joys of Bureaucracy*, Melville House.
Haraway, D. J., 1991, *Simians, Cyborgs and Women : the Reinvention of Nature*, Routledge.（＝2000、高橋さきの訳『猿と女とサイボーグ——自然の再発明』青土社）.
Heath., Joseph., 2014, *Enlightenment 2.0*, HarperCollins Publish Ltd.,（＝2014、栗原百代訳『啓蒙思想 2.0』NTT 出版）.
檜垣立哉、2006『生と権力の哲学』ちくま新書.
Hoggart, Richard., 1957, *The Uses of Literacy : Aspects of Working Class Life*,（＝1974、香内三郎訳『読み書き能力の効用』晶文社）.

Illich, Ivan., 1973, *Tools for Conviviality*, Marion Boyars（＝ 2015、渡辺京二・渡辺梨佐訳、『コンヴィヴィアリティのための道具』ちくま学芸文庫）.

石川良子、2019「第３回 支援における共感・受容の落とし穴」『ひきこもり支援論』Web ちくま、http://www.webchikuma.jp/category/hikikomori（2019 年７月 31 日閲覧）.

Jarvis, Jeff, 2009, *What would Google Do?*, HarperCollins Publishers（＝ 2009、早野依子訳『グーグル的思考――Google ならどうする？』PHP 研究所）.

情報通信審議会、2012「ICT 基本戦略ボード・ビッグデータの活用に関するアドホックグループの検討状況」総務省.

小松義彦、2012『生権力の歴史――脳死・尊厳死・人間の尊厳をめぐって』青土社.

高度情報通信ネットワーク社会推進戦略本部（IT 総合戦略本部）マイナンバー等分科会、2014『第１～３回分科会における構成員からの主な意見』内閣官房.

厚生労働省、2004「介護給付適正化推進運動」.

――――、2006「介護予防事業の円滑な実施を図るための指針」.

――――、2007a「標準的な検診・保健指導プログラム（確定版）」.

――――、2007b「要介護認定の適正化」介護給付適正化担当者会議資料.

――――、2009a「総合的介護予防システムについてのマニュアル（改訂版）」.

――――、2009b「要介護認定調査員テキスト 2009 改訂版」.

――――、2010「介護保険制度の見直しに関する意見（素案）」.

――――、2016『補装具費支給制度の概要』http://www.mhlw.go.jp/bunya/shougaihoken/yogu/gaiyo.html（2016 年３月 11 日閲覧）.

厚生労働省、2014「全国介護保険・高齢者保健福祉担当課長会議資料 介護保険計画課関係」厚生労働省老健局.

――――、2017a「CHASE で収集すべき情報について 検討の方針及び枠組み（案）」第２回科学的裏付けに基づく介護に係る検討会資料.

――――、2017b「平成 29 年介護保険法改正」厚生労働省老健局.

――――、2018a「特定健康診査等実施計画作成の手引き」（第３版）.

――――、2018b「介護領域のデータベースにおける今後の取組等について」第５回科学的裏付けに基づく介護に係る検討会資料.

――――、2018c「第７期計画期間における介護保険の第１号保険料及びサービス見込み量等について」厚生労働省老健局介護保険計画課.

Ma, A., 2018, “China has started ranking citizens with a creepy ‘social credit’ system” *Business Insider*, Oct. 29, 2018.

魔法のふでばこプロジェクト、2012『障がいのある子どもたちのためのタブレット端末を利用した学習支援マニュアル』.

―――、2013『障がいのある子どもたちのための携帯情報端末を利用した学習支援マニュアル』.
Merleau-Ponty, Maurice., 1969, *Les relations avec autrui chez l'enfant*, Paris Centre de Documentation Universitaire.（＝2001、木田元・滝浦静雄訳、『幼児の対人関係（メルロ＝ポンティ・コレクション3）』みすず書房）.
Meyrowitz, Joshua., 1985, *No Sense of Place : The Impact of Electronic Media on Social Behavior*, Oxford University Press.（＝2003、安川一・上谷香陽訳『場所感の喪失〈上〉――電子メディアが社会的行動に及ぼす影響』新曜社）.
Mossberger, Karen., Tolbert, Caroline, J., Stanbury, Mary, 2003, *Virtual Inequality: Beyond the Digital Divide*, Georgetown University Press.
Michel Oliver, 1990, *The Politics of Disablement : A Sociological Approach*, Palgrave Macmillan.（＝2006、三島亜紀子ほか訳『障害の政治――イギリス障害学の原点』明石書店）
森田朗監修・市民が主役の地域情報化推進協議会番号制度研究会編、2012『改訂版 マイナンバーがやってくる――共有番号制度の実務インパクトと対応策』日経BP社.
内閣府、2012『高齢社会大綱』.
―――、2013「少子化危機突破のための緊急対策」『平成25年少子化社会対策白書』.
内閣官房、2013『行政手続における特定の個人を識別するための番号の利用等に関する法律（マイナンバー法）』.
内閣官房番号制度推進室、2015『情報連携およびマイナポータル等について』.
―――、2019「マイナンバー制度の今後の展望と、マイナンバーカードのさらなる利活用に向けて」内閣官房.
New York Times Magazine, 2017, "Why Are More American Teenagers Than Ever Suffering From Severe Anxiety?" Oct. 11, 2017.
岡本裕一朗、2013『思考実験――世界と哲学をつなぐ75問』ちくま新書
沖藤典子、2010『介護保険は老いを守るか』岩波書店.
リクルート・キャリア、2018『就職白書2018』.
老人保健課、2009「要介護認定はどのように行われるか」厚生労働省老健局.
斎藤環、2017「ひきこもりという概念の歴史（1）」Medical Note、https://medicalnote.jp/contents/150722-000005-CTDROY（2019年7月31日閲覧）.
更科功、2018『絶滅の人類史――なぜ「私たち」が生き延びたのか』NHK出版.
佐藤忠彦・樋口知之、2013『ビッグデータ時代のマーケティング――ベイジアンモデリングの活用』講談社.
政府・与党社会保障改革検討本部、2011『社会保障・税番号大綱』内閣官房.

関庸一・筒井孝子・宮野尚也、2000「要介護認定一次判定方式の基礎となった統計モデルの妥当性」『応用統計学』Vol29-2.
Sen, Amartya., 1985, *Commodities and Capabilities*, Elsevier Science.（＝1988, 鈴村興太郎訳『福祉の経済学——財と潜在能力』岩波書店）.
芹沢一也、2007「〈生存〉から〈生命〉へ——社会を管理する二つの装置」芹沢一也・高桑和己編『フーコーの後で——統治性・セキュリティ・闘争』慶應義塾大学出版会、pp.75-117.
柴田邦臣・金澤朋広、2004「福祉NPOにおける「支援」のあり方——障害者福祉での電子ネットワークの諸相」、川崎賢一・李妍焱・池田緑編著『NPOの電子ネットワーク戦略』東京大学出版会、pp.35-70.
柴田邦臣、2011「装置としての〈Google〉・〈保健〉・〈福祉〉——〈規準〉で適正化する私たちと社会のために」『現代思想』Vol.39-1、pp.152-170.
————、2012a「「ライフログ」という斥候・〈規準社会〉という前線——“限られた”情報社会を生きる私たちのために」正村俊之編著『コミュニケーション理論の再構築』勁草書房、pp.149-183.
————、2012b「災害支援・防災と情報メディア環境——東日本大震災における情報支援の過程から」吉原直樹編著『増補版 防災の社会学』東信堂、pp.211-228.
————、2014「生かさない〈生－政治〉の誕生——ビッグデータと『生存資源』の分配問題」『現代思想』Vol.42-9、pp.164-189
————、2015a「ある１つの〈革命〉のはなし——インクルーシブな高等教育と共生の福祉情報」『情報処理』五六巻一二号、情報処理学会.
————、2015b「医療・福祉」西垣通・伊藤守編『よくわかる社会情報学』ミネルヴァ書房、pp.106-7.
————、2016a「コンヴィヴィアル・メディア・リテラシー——そして「障害者の自立と共生」から何を学ぶか」『現代思想』Vol.44-9、pp.192-210.
————、2020「新しい「魔法」の時代へ、ようこそ——Learning Crisisとポスト・コロナの情報社会」『RAD-IT21』https://rad-it21.com/ai/kuniomi-shibata_20201001/（2024年5月1日閲覧）.
柴田邦臣・吉田仁美・井上滋樹、2016b『字幕メディアの新展開——多様な人々を包摂する福祉社会と共生のリテラシー』青弓社.
柴田邦臣・吉田寛・服部哲・松本早野香編著、2014『「思い出」をつなぐネットワーク——日本社会情報学会・災害情報支援チームの挑戦』昭和堂.
渋谷望、2003『魂の労働——ネオリベラリズムの権力論』青土社.
Song, Jimmy., 2018, “Why Blockchain is Hard”, Medium, May 14, 2018, https://medium.com/@jimmysong/why-blockchain-is-hard-60416ea4c5c（2019年7月31日閲覧）.

総務省、2013『平成 25 年度版情報通信白書』.
――――、2015『マイナンバーカード利活用推進ロードマップ等』.
――――、2017『平成 29 年版情報通信白書』.
鈴木雪夫・国友直人編、1989『ベイズ統計学とその応用』、東京大学出版会.
立岩真也、2009『唯の生』筑摩書房.
上野千鶴子・立岩真也、2009「討議 労働としてのケア――介護保険の未来」『現代思想』Vol.37-2, pp.38-77.
Vosoughi, Soroush ., Roy, Deb., Aral, Sinan., "The spread of true and false news online", Science Vol 359, Issue6380, 09 March 2018.
World Wide Web Consortium, 2018, "ACCESSIBILITY", https://www.w3.org/standards/webdesign/accessibility(2019 年 7 月 31 日閲覧).
Wurman. Richard Saul., 1989, *Information Anxiety*, Dell Publishing, (＝松岡正剛訳、1990『情報選択の時代――溢れる情報から価値ある情報へ』日本実業出版社).
吉村功、1971「アザラシ状奇形の原因 I ――サリドマイド仮説の成立に関する統計上の争点について」『科学』Vol.41-3.
財団法人テクノエイド協会、2010『特例補装具・判定困難事例集』.
――――、2014『補装具費支給事 ガイドブック』.

[著者] 柴田邦臣（しばた・くにおみ）
愛知県生まれ。駒澤大学グローバル・メディア・スタディーズ学部教授。東北大学大学院文学研究科人間科学専攻修了。専門は、社会学・インクルーシブ教育論・災害情報支援研究。共著に『字幕とメディアの新展開——多様な人々を包摂する福祉社会と共生のリテラシー』（青弓社）、『「思い出」をつなぐネットワーク——日本社会情報学会・災害情報支援チームの挑戦』（昭和堂）など。

〈情弱〉の社会学　新装版
ポスト・ビッグデータ時代の生の技法

2024年 6月18日 第1刷印刷
2024年 7月 3日 第1刷発行

著者——柴田邦臣

発行者——清水一人
発行所——青土社

〒101-0051　東京都千代田区神田神保町1-29　市瀬ビル
［電話］03-3291-9831（編集）03-3294-7829（営業）
［振替］00190-7-192955

印刷・製本——双文社印刷

装幀——今垣知沙子

ISBN978-4-7917-7653-5